名探偵コナン

警察セレクション　命がけの刑事《ポリス》たち

酒井 匙／著
青山剛昌／原作・イラスト

★小学館ジュニア文庫★

揺《ゆ》れる警《けい》視《し》庁《ちょう》 1200万《まん》人《にん》の人《ひと》質《じち》

DETECTIVE CONAN

POLICE SELECTION

サッカーチームの優勝《ゆうしょう》パレードで、面白《おもしろ》い事《こと》が起《お》こる――。

そんなFAX《ファックス》が警視庁本庁《けいしちょうほんちょう》に届《とど》いたため、刑事《けいじ》たちが張《は》りこむことになった。警視庁捜査一課《けいしちょうそうさいっか》の佐藤美和子《さとうみわこ》刑事《けいじ》も現場《げんば》に動員《どういん》され、ウィッグやサングラスで変装《へんそう》をして優勝《ゆうしょう》パレードのルートを見張《みは》っていると、後輩《こうはい》の高木渉《たかぎわたる》刑事《けいじ》が遅《おく》れて現場《げんば》にやってきた。

「佐藤《さとう》さんはどう思《おも》います、この変装《へんそう》…結構《けっこう》イケてるでしょ？」

そう言《い》いながら車《くるま》から降《お》りてきた高木《たかぎ》刑事《けいじ》は、佐藤刑事《さとうけいじ》と同《おな》じように変装《へんそう》をしていた。クセのついた短髪《たんぱつ》のウィッグをかぶりサングラスをかけ、ネクタイを締《し》めた襟《えり》もとは無造作《むぞうさ》にゆるめられている。

その出《い》で立《た》ちを見《み》て、佐藤刑事《さとうけいじ》は思《おも》わず言葉《ことば》を失《うしな》った。

「佐藤《さとう》さん？　佐藤《さとう》…」

高木刑事《たかぎけいじ》から不思議《ふしぎ》そうに呼《よ》びかけられても、佐藤刑事《さとうけいじ》はしばらく返事《へんじ》をすることが出来《でき》なかった。変装《へんそう》をした高木刑事《たかぎけいじ》の姿《すがた》は、三年前《さんねんまえ》に殉職《じゅんしょく》した、ある刑事《けいじ》にそっくりだったのだ――。

本庁《ほんちょう》にＦＡＸ《ファックス》を送《おく》った犯人《はんにん》は、優勝《ゆうしょう》パレードの通《とお》り道《みち》の近《ちか》くに複数《ふくすう》の爆弾《ばくだん》を仕掛《しか》けていた。駐車中《ちゅうしゃちゅう》の車《くるま》にも爆弾《ばくだん》が仕掛《しか》けられていて、高木刑事《たかぎけいじ》が爆発《ばくはつ》に巻《ま》きこまれかけたが、危《あや》ういところでなんとか回避《かいひ》することが出来《でき》た。

犯人《はんにん》の狙《ねら》いは、ＦＡＸ《ファックス》や爆弾《ばくだん》で警察《けいさつ》を攪乱《かくらん》して、そのスキに郵便車《ゆうびんしゃ》を乗《の》っ取《と》り、郵便局《ゆうびんきょく》へと押《お》し入《い》ることだった。たまたま現場《げんば》に居合《いあ》わせた江戸川《えどがわ》コナンや少年探偵団《しょうねんたんていだん》たちの活躍《かつやく》もあり、警察《けいさつ》は郵便局《ゆうびんきょく》に先回《さきまわ》りして、無事《ぶじ》に犯人《はんにん》を逮捕《たいほ》し、事件《じけん》を解決《かいけつ》した。

しかし、その後《あと》も、佐藤刑事《さとうけいじ》は変装《へんそう》した高木刑事《たかぎけいじ》の姿《すがた》がずっと忘《わす》れられずにいた。高木《たかぎ》刑事《けいじ》と、三年前《さんねんまえ》に殉職《じゅんしょく》した、ある刑事《けいじ》のことが、どうしても重《かさ》なったのだ。

私《わたし》が大切《たいせつ》に想《おも》っていた人《ひと》は、みんないなくなる――佐藤刑事《さとうけいじ》はずっと、そんな風《ふう》に感《かん》じていた。

刑事《けいじ》だった父親《ちちおや》も、小学校《しょうがっこう》の体育《たいいく》の先生《せんせい》も、野球部《やきゅうぶ》の先輩《せんぱい》も、そして三年前《さんねんまえ》に殉職《じゅんしょく》したあの刑事《けいじ》も、みんないなくなった。このまま自分《じぶん》と一緒《いっしょ》にいたら、高木刑事《たかぎけいじ》まで、死神《しにがみ》に連《つ》れて行《い》かれてしまうかもしれない――

「――ちょっと、美和子《みわこ》!?」

交通課《こうつうか》の宮本由美《みやもとゆみ》巡査部長《じゅんさぶちょう》に顔《かお》をのぞきこまれ、佐藤刑事《さとうけいじ》は「え？」と我《われ》に返《かえ》った。

「ホラ、子供達《こどもたち》待《ま》ってるよ！　あなたこれから、実況見分《じっきょうけんぶん》するんでしょ？」

そう言《い》って、由美《ゆみ》が廊下《ろうか》の奥《おく》を目《め》で指《さ》す。そこには、警視庁《けいしちょう》に呼《よ》び出《だ》された江戸川《えどがわ》コナンと阿笠博士《あがさはかせ》、吉田歩美《よしだあゆみ》、小嶋元太《こじまげんた》、円谷光彦《つぶらやみつひこ》、そして灰原哀《はいばらあい》が立《た》っていた。

「え、ええ…」

動揺《どうよう》しながらも、佐藤刑事《さとうけいじ》はなんとかうなずいた。

今日《きょう》はコナンたちに、事件当時《じけんとうじ》のことを改《あらた》めて聞《き》かせてもらう予定《よてい》になっていたのだ。

それなのに、別《べつ》のことを考《かんが》えていて、すっかり周《まわ》りが見《み》えなくなってしまっていた。

コナンたちのもとへあわてて向《む》かおうとして、佐藤刑事《さとうけいじ》は「あ、そうだ」と由美《ゆみ》の方《ほう》を振《ふ》り返《かえ》った。

「カラオケ、何時《なんじ》からだっけ？」

「夜《よる》9時《じ》よ！　ちゃんと携帯《けいたい》にメール入《い》れたでしょ？　もォー、メール読《よ》んですぐ消《け》すクセやめなよ！」

「ゴメンゴメン…。消《け》していかないと、イタズラメールでメールボックスがいっぱいになって、大事《だいじ》なメールが消《き》えちゃうのよ…」

「あら、私《わたし》のメールは大事《だいじ》じゃないってわけ？」

じとっとにらまれ、佐藤刑事《さとうけいじ》は「まあまあ…」と苦笑《にがわら》いした。

「んじゃ、9時《じ》ね！」

「遅《おく》れんなよ！」

佐藤刑事《さとうけいじ》は、子供《こども》たちを連《つ》れて実況見分《じっきょうけんぶん》に向《む》かっていく。その後《うし》ろ姿《すがた》を、由美《ゆみ》は複雑《ふくざつ》な気持《きも》ちで見送《みおく》った。佐藤刑事《さとうけいじ》の言《い》う「大事《だいじ》なメール」が誰《だれ》から届《とど》いたものなのか、由美《ゆみ》にはわかっているのだ。

(消《け》せないメールか…)

佐藤刑事《さとうけいじ》のことを思《おも》いながら、由美《ゆみ》は心《こころ》の中《なか》でそっとつぶやいた。

佐藤刑事《さとうけいじ》は、コナンたちを連《つ》れて、事件《じけん》の現場《げんば》へとやってきた。

「ここです！　ここです！　丁度《ちょうど》この辺《あた》りで、誰《だれ》かに突《つ》き飛《と》ばされてボクのビデオカメラが…」

光彦《みつひこ》が、道路《どうろ》の上《うえ》を指《ゆび》さして言《い》う。

事件当時《じけんとうじ》、この辺《あた》りは、優勝《ゆうしょう》パレードを見《み》に来《き》た人《ひと》たちでかなり混雑《こんざつ》していた。人混《ひとご》みに押《お》されて光彦《みつひこ》は転《ころ》んでしまい、その拍子《ひょうし》に、持《も》っていたビデオカメラを犯人《はんにん》に盗《ぬす》まれてしまったのだ。そのことは、結果的《けっかてき》に、犯人《はんにん》を特定《とくてい》するための大《おお》きな手掛《てが》かりになった。

「で？　その誰《だれ》かはそれを拾《ひろ》って、人混《ひとご》みに消《き》えたのね…」

佐藤刑事《さとうけいじ》が、光彦《みつひこ》の証言《しょうげん》を確認《かくにん》しながら手帳《てちょう》にメモを取《と》っていると、ピリリ、ピリリ……と携帯電話《けいたいでんわ》に着信《ちゃくしん》があった。目暮警部《めぐれけいぶ》からだ。

「あ、目暮警部《めぐれけいぶ》！　はい…あと15分《ふん》ぐらいで終《お》わるかと…はい！　わかりました！」

短《みじか》い会話《かいわ》を終《お》えて電話《でんわ》を切《き》ると、佐藤刑事《さとうけいじ》は携帯電話《けいたいでんわ》のディスプレイに視線《しせん》を落《お》とした。

そこには、今日《きょう》の日付《ひづけ》と時間《じかん》が表示《ひょうじ》されている。

「………」

（11月《がつ》7日《か》…。もうあれから3年《ねん》もたつのか…）

ヒュウ、と風《かぜ》が吹《ふ》き、枯葉《かれは》が舞《ま》い上《あ》がる。その様子《ようす》を見《み》ながら、佐藤刑事《さとうけいじ》はどこかさびしげな表情《ひょうじょう》を浮《う》かべた。

（まるで木枯《こが》らしみたいな奴《やつ》だったなぁ…。哀《かな》しい音色《ねいろ》だけ残《のこ》してあっという間《ま》に消《き》えちゃうなんて…）

佐藤刑事《さとうけいじ》が思《おも》い出《だ》していたのは、三年前《さんねんまえ》のある日《ひ》。後《のち》に殉職《じゅんしょく》したあの刑事《けいじ》が、佐藤刑事《さとうけいじ》の所属《しょぞく》する捜査一課《そうさいっか》にやってきた時《とき》のことだった。


あの日《ひ》、目暮警部《めぐれけいぶ》は、捜査一課《そうさいっか》の刑事《けいじ》たちを呼《よ》び出《だ》して一《いっ》か所《しょ》に集《あつ》めた。新《あら》たに配属《はいぞく》になった松田陣平刑事《まつだじんぺいけいじ》を紹介《しょうかい》するためだ。

松田刑事《まつだけいじ》は、ゆるくクセのついた黒髪《くろかみ》が印象的《いんしょうてき》な、背《せ》の高《たか》い男《おとこ》だった。スーツに染《し》みた煙草《たばこ》のにおいと、第一《だいいち》ボタンまで開《ひら》いたシャツ、ルーズに締《し》められたネクタイ、そしてサングラス。警察官《けいさつかん》にあるまじき着崩《きくず》し方《かた》だが、松田刑事《まつだけいじ》の型破《かたやぶ》りな立《た》ち居振《いふ》る舞《ま》いには、不思議《ふしぎ》とよく似合《にあ》っている。ポケットに手《て》を突《つ》っ込《こ》んで立《た》っているだけで、刑事《けいじ》たちの目《め》を引《ひ》いていた。

「彼《かれ》が、本日付《ほんじつづ》けで捜査一課強行犯係《そうさいっかきょうこうはんがかり》に配属《はいぞく》された松田陣平君《まつだじんぺいくん》だ！　彼《かれ》は去年《きょねん》まで、警備部機動隊《けいびぶきどうたい》に所属《しょぞく》していた変《か》わり種《だね》でな…」

「よしましょうや、警部《けいぶ》さん…田舎《いなか》から出《で》て来《き》た転校生《てんこうせい》じゃねーんだから…」

松田刑事《まつだけいじ》は、目暮警部《めぐれけいぶ》の口上《こうじょう》をいきなりさえぎると、気《け》だるそうに続《つづ》けた。

「うざってぇ自己紹介《じこしょうかい》なんざ、意味《いみ》ないでしょ…。こっちは来《き》たくもねぇ係《かかり》に回《まわ》されて、キレかけてるっていうのによォ…」

松田刑事《まつだけいじ》の失礼《しつれい》な態度《たいど》に、集《あつ》まった刑事《けいじ》たちはみんなざわついた。佐藤刑事《さとうけいじ》にとっても、松田刑事《まつだけいじ》の第一印象《だいいちいんしょう》は最悪《さいあく》で、なるべく関《かか》わりたくないとさえ思《おも》った。

ところが――

「そ、そうだな…。じゃあ佐藤君《さとうくん》が彼《かれ》に付《つ》いて、色々教《いろいろおし》えて……」

目暮警部《めぐれけいぶ》は佐藤刑事《さとうけいじ》を、松田刑事《まつだけいじ》の指導係《しどうがかり》として指名《しめい》したのだ。

「え？　私《わたし》がですか？」

思《おも》いきり困惑《こんわく》する佐藤刑事《さとうけいじ》を、目暮警部《めぐれけいぶ》は「まぁそう嫌《いや》がるな…」と苦笑《にがわら》いで取《と》りなした。

「彼《かれ》は前《まえ》に色々《いろいろ》あって、上《うえ》から直々《じきじき》に頼《たの》まれた男《おとこ》なんだ…。よろしく面倒《めんどう》を見《み》てやってくれ！」

「はぁい…」

しぶしぶ了承《りょうしょう》する佐藤刑事《さとうけいじ》をよそに、松田刑事《まつだけいじ》は、ふぁ、とあくびをしていた。全《まった》くやる気《き》のなさそうな態度《たいど》だ。

第一印象《だいいちいんしょう》の通《とお》り、松田刑事《まつだけいじ》はかなりの問題児《もんだいじ》だった。まったく協調性《きょうちょうせい》がないし、どんな相手《あいて》にも失礼《しつれい》な態度《たいど》ばかり取《と》る。

ある事件《じけん》の聞《き》き込《こ》みに行《い》った帰《かえ》り道《みち》、佐藤刑事《さとうけいじ》は車《くるま》を運転《うんてん》しながら、

「ちょっと何《なん》なのよ？　さっきの聞《き》き込《こ》みの仕方《しかた》！」

と、松田刑事《まつだけいじ》に文句《もんく》を言《い》った。

「あんなヤクザみたいな聞《き》き方《かた》したら、誰《だれ》も答《こた》えてくれないわよ！　――ったく…あなたが来《き》てからもう6日《か》よ！　少《すこ》しは私《わたし》の言《い》う事《こと》、聞《き》いてくれる？」

助手席《じょしゅせき》に座《すわ》った松田刑事《まつだけいじ》は、佐藤刑事《さとうけいじ》の小言《こごと》などどこ吹《ふ》く風《かぜ》で、携帯電話《けいたいでんわ》をいじっている。その手元《てもと》を見《み》て、佐藤刑事《さとうけいじ》は「あら」と驚《おどろ》いた。メールを打《う》つ松田刑事《まつだけいじ》の手《て》つきが、あまりに速《はや》かったからだ。

「メール？　は、速《はや》いわね…」

「ああ…。他人《ひと》より指先《ゆびさき》が器用《きよう》なんでな…」

「もしかして、彼女《かのじょ》へ、かしら？」

佐藤刑事《さとうけいじ》がからかうように言《い》うと、松田刑事《まつだけいじ》は表情《ひょうじょう》を変《か》えないまま「いや…」と否定《ひてい》した。

「ダチに書《か》いてんだ…送信《そうしん》しても受《う》け取《と》ってくれねぇ親友《しんゆう》に…。そいつは4年前《ねんまえ》にふっ飛《と》んじまったからよ…」

「え？」

松田刑事《まつだけいじ》の言《い》う「親友《しんゆう》」が誰《だれ》のことなのかは気《き》になったが、佐藤刑事《さとうけいじ》はそれ以上《いじょう》、松田《まつだ》刑事《けいじ》に聞《き》くことが出来《でき》なかった。親友《しんゆう》について話《はな》していた時《とき》の松田刑事《まつだけいじ》の声《こえ》は、いつになく真剣《しんけん》だったからだ。

それから数日《すうじつ》が過《す》ぎても、松田刑事《まつだけいじ》の行動《こうどう》は全《まった》く改善《かいぜん》されず、佐藤刑事《さとうけいじ》は手《て》を焼《や》かされっぱなしだった。

そして——十一月七日《じゅういちがつなのか》。

その日《ひ》、佐藤刑事《さとうけいじ》と松田刑事《まつだけいじ》は、昼《ひる》から被疑者《ひぎしゃ》を本庁《ほんちょう》に連行《れんこう》することになっていた。ところが直前《ちょくぜん》になって、松田刑事《まつだけいじ》が行《い》かないと言《い》い出《だ》した。

「パ、パスゥ？　何言《なにい》ってんの、あんた？」

驚《おどろ》く佐藤刑事《さとうけいじ》に、松田刑事《まつだけいじ》は平然《へいぜん》と言《い》い返《かえ》した。

「俺《おれ》は今日《きょう》、ここで待《ま》ってなきゃいけねぇんだ…所轄《しょかつ》からジジィの被疑者《ひぎしゃ》をここに連行《れんこう》するぐらい、あんたらで出来《でき》るだろ…」

「ちょっと、あんたねえ…」

佐藤刑事《さとうけいじ》があきれた表情《ひょうじょう》を浮《う》かべるが、松田刑事《まつだけいじ》は気《き》にせず新聞《しんぶん》をめくりながら、

「聞《き》いてるぜ…」

と、続《つづ》けた。

「毎年《まいとし》、この11月《がつ》7日《か》に送《おく》られてきてるそうじゃねぇか…」

「ああ…3年前《ねんまえ》から1年《ねん》ごとに本庁《ほんちょう》に送《おく》られて来《く》る、大《おお》きな数字《すうじ》が一《ひと》つ書《か》いてあるだけのイタズラFAX《ファックス》でしょ？」

松田刑事《まつだけいじ》は、ひとりごとのように「3年前《ねんまえ》が3、2年前《ねんまえ》が2、1年前《ねんまえ》が1…」とつぶやくと、サングラスの奥《おく》の目《め》をきゅっと細《ほそ》めた。

「間違《まちが》いねぇ…こいつは爆弾《ばくだん》のカウントダウンだ…。奴《やつ》が動《うご》くなら今日《きょう》しかねぇぜ…」

数字《すうじ》の印刷《いんさつ》されたFAX《ファックス》が送《おく》られてくるだけで、どうして爆弾《ばくだん》のカウントダウンになるのか――意味《いみ》が分《わ》からず、佐藤刑事《さとうけいじ》は「はぁ？」と聞《き》き返《かえ》した。

その時《とき》、部屋《へや》の中《なか》に白鳥刑事《しらとりけいじ》が入《はい》ってきて、ドアの近《ちか》くに立《た》っていた目暮警部《めぐれけいぶ》に「警部《けいぶ》！」と声《こえ》をかけた。

「また今年《ことし》も送《おく》られて来《き》ました！」

「ああ…例《れい》の数字《すうじ》のFAX《ファックス》だろ？」

佐藤刑事《さとうけいじ》が「え？」と驚《おどろ》いて振《ふ》り返《かえ》る。

「で？　今年《ことし》の数字《すうじ》は何番《なんばん》だね？」

「そ、それが今回《こんかい》は数字《すうじ》ではなくて…」

目暮警部《めぐれけいぶ》に聞《き》かれ、白鳥刑事《しらとりけいじ》は困惑《こんわく》した表情《ひょうじょう》で、手《て》に持《も》っていたFAX《ファックス》用紙《ようし》に印刷《いんさつ》された文章《ぶんしょう》を読《よ》み上《あ》げた。

「我《われ》は円卓《えんたく》の騎士《きし》なり…。愚《おろ》かで狡猾《こうかつ》な警察諸君《けいさつしょくん》に告《つ》ぐ…。本日正午《ほんじつしょうご》と14時《じ》に我《わ》が戦友《せんゆう》の首《くび》を弔《とむら》う面白《おもしろ》い花火《はなび》を打《う》ち上《あ》げる…。止《と》めたくば我《わ》が元《もと》へ来《こ》い…。72番目《ばんめ》の席《せき》を空《あ》けて待《ま》っている…」

「どういう意味《いみ》だね？」

目暮警部《めぐれけいぶ》がきょとんとした顔《かお》で聞《き》き、白鳥刑事《しらとりけいじ》も「さぁ…」と不可解《ふかかい》そうに首《くび》をひねった。二人《ふたり》とも、暗号《あんごう》めいた文章《ぶんしょう》の内容《ないよう》が一体何《いったいなに》を指《さ》すのか、さっぱり見当《けんとう》がついていないようだ。

ただ一人《ひとり》、松田刑事《まつだけいじ》だけがすぐに動《うご》いた。大《おお》きなバッグを肩《かた》にかけて立《た》ち上《あ》がり、まっすぐに部屋《へや》を出《で》ていこうとする。

「ちょ、ちょっと、どこに行《い》くのよ!?」

佐藤刑事《さとうけいじ》があわてて声《こえ》をかけると、松田刑事《まつだけいじ》は振《ふ》り返《かえ》って早口《はやくち》に告《つ》げた。

「わからねぇのか？　円卓《えんたく》の騎士《きし》が72番目《ばんめ》の席《せき》を空《あ》けて待《ま》ってるって言《い》ってんだ！　円盤《えんばん》

状《じょう》で72も席《せき》があるっつったら…杯戸町《はいどちょう》のショッピングモールにある、大観覧車《だいかんらんしゃ》しかねーだろ？」

佐藤刑事《さとうけいじ》は、松田刑事《まつだけいじ》、目暮警部《めぐれけいぶ》、そして白鳥刑事《しらとりけいじ》とともに、大急《おおいそ》ぎで杯戸町《はいどちょう》の大観覧車《だいかんらんしゃ》へと向《む》かった。

ショッピングモールに到着《とうちゃく》すると、周辺《しゅうへん》はすでにパニック状態《じょうたい》だった。観覧車《かんらんしゃ》からモクモクと煙《けむり》があがり、来場客《らいじょうきゃく》が悲鳴《ひめい》とともに逃《に》げてくる。

「くそっ！　遅《おそ》かったか!!」

と、目暮警部《めぐれけいぶ》が悔《くや》しげに顔《かお》をゆがめた。

「しかし正午《しょうご》までまだ30分《ぷん》はあるんですが…」

腕時計《うでどけい》を確認《かくにん》して、白鳥刑事《しらとりけいじ》は首《くび》をひねった。ＦＡＸ《ファックス》では、爆弾《ばくだん》はまず正午《しょうご》に爆発《ばくはつ》すると予告《よこく》されていたはずなのに、すでに現場《げんば》は混乱状態《こんらんじょうたい》にある。観覧車《かんらんしゃ》に仕掛《しか》けられた爆弾《ばくだん》は、もう爆発《ばくはつ》してしまったのだろうか。

一行《いっこう》は、観覧車《かんらんしゃ》の乗《の》り場《ば》へと急《いそ》いだ。煙《けむり》は、乗《の》り場《ば》にある管制室《かんせいしつ》から出《で》ているようだ。

「警察《けいさつ》よ！　何《なに》があったの⁉」

佐藤刑事《さとうけいじ》は警察手帳《けいさつてちょう》を見《み》せながら、スタッフに早口《はやくち》に尋《たず》ねた。

「そ、それが…突然《とつぜん》、制御盤《せいぎょばん》が爆発《ばくはつ》して、観覧車《かんらんしゃ》が止《と》まらなくなったんです！　なんとか乗客《じょうきゃく》は降《お》ろしたんですが…」

正午《しょうご》に爆発《ばくはつ》する爆弾《ばくだん》は、72番《ばん》のゴンドラに仕掛《しか》けられているはずだ。ゴンドラとは別《べつ》に、管制室《かんせいしつ》にも爆弾《ばくだん》を仕掛《しか》けられていたのだろう。

「で？　72番目《ばんめ》のゴンドラは今《いま》どの辺《あた》りに…」

目暮警部《めぐれけいぶ》に聞《き》かれ、スタッフは乗《の》り場《ば》を通過中《つうかちゅう》のゴンドラを指《ゆび》さした。

「ああ…それなら丁度《ちょうど》、今《いま》、下《した》に…」

松田刑事《まつだけいじ》が真《ま》っ先《さき》にゴンドラに近《ちか》づいて、内部《ないぶ》を確認《かくにん》した。

「おっとと…。円卓《えんたく》の騎士《きし》は待《ま》ってなかったが…代《か》わりに妙《みょう》な物《もの》が、座席《ざせき》の下《した》に置《お》いてあるぜ…」

「ま、まさか爆弾《ばくだん》⁉」

白鳥刑事《しらとりけいじ》がおののいた表情《ひょうじょう》で言《い》う。

「ちょ、ちょっと松田君《まつだくん》⁉」

勝手《かって》な行動《こうどう》を取《と》る松田刑事《まつだけいじ》を止《と》めようと、佐藤刑事《さとうけいじ》はあわててゴンドラに駆《か》け寄《よ》った。

しかし松田刑事《まつだけいじ》はすでにゴンドラに乗《の》り込《こ》んでいて、サングラスを外《はず》しながら佐藤刑事《さとうけいじ》の方《ほう》を振《ふ》り返《かえ》ると、

「大丈夫《だいじょうぶ》…。こういう事《こと》はプロに任《まか》せな…」

と冷静《れいせい》に言《い》うなり、ピシャッと扉《とびら》を閉《し》めてしまった。

松田刑事《まつだけいじ》と爆弾《ばくだん》を乗《の》せたまま、ゴンドラはゆっくりと上《あ》がっていく。

「プ、プロって…」

「彼《かれ》は去年《きょねん》まで警備部機動隊《けいびぶきどうたい》の中《なか》にある爆発物処理班《ばくはつぶつしょりはん》にいたんだよ！」

あっけにとられる佐藤刑事《さとうけいじ》に、目暮警部《めぐれけいぶ》が説明《せつめい》した。

「じゃ、じゃあまさか、前《まえ》に死《し》んだ彼《かれ》の親友《しんゆう》って…」

「ああ…たぶんそれは４年前《ねんまえ》の11月《がつ》７日《か》…爆弾解体中《ばくだんかいたいちゅう》に殉職《じゅんしょく》した、同《おな》じ処理班所属《しょりはんしょぞく》の萩原《はぎわら》君《くん》の事《こと》だろう…。別々《べつべつ》の場所《ばしょ》に二《ふた》つ爆弾《ばくだん》が仕掛《しか》けられていて、一《ひと》つは松田君《まつだくん》が解体《かいたい》したが、

萩原君《はぎわらくん》の方《ほう》は間《ま》に合《あ》わなかった…。爆弾犯《ばくだんはん》は未《いま》だ特定《とくてい》できず、松田君《まつだくん》は爆弾事件《ばくだんじけん》を担当《たんとう》する特殊犯係《とくしゅはんがかり》に転属《てんぞく》を何度《なんど》も希望《きぼう》していたが、目的《もくてき》は、恐《おそ》らく親友《しんゆう》の敵討《かたきう》ちだろうから、頭《あたま》を冷《ひ》やすために、いったん同《おな》じ一課《いっか》の強行犯係《きょうこうはんがかり》に配属《はいぞく》されたってわけだ…」

萩原研二《はぎわらけんじ》が亡《な》くなった爆弾事件《ばくだんじけん》も、今日《きょう》と同《おな》じ、十一月七日《じゅういちがつなのか》に起《お》きている。松田刑事《まつだけいじ》は、本庁《ほんちょう》に毎年送《まいとしおく》られてくるＦＡＸ《ファックス》のことを知《し》り、四年前《よねんまえ》の事件《じけん》と同一犯《どういつはん》の仕業《しわざ》と踏《ふ》んで待《ま》ち構《かま》えていたのだろう。

「まあ、一周《いっしゅう》してゴンドラが降《お》りて来《き》たら引《ひ》きずり出《だ》しましょう…」

観覧車《かんらんしゃ》を見上《みあ》げながら白鳥刑事《しらとりけいじ》が言《い》い、目暮警部《めぐれけいぶ》は「ああ…」とうなずいた。

ゴンドラに乗《の》り込《こ》んだ松田刑事《まつだけいじ》は、座席《ざせき》の下《した》に隠《かく》されていた爆弾《ばくだん》をすぐに発見《はっけん》した。

持《も》ってきたバッグの中《なか》には、爆弾《ばくだん》を解体《かいたい》するための道具《どうぐ》が一式《いっしき》そろっている。松田刑事《まつだけいじ》の腕前《うでまえ》ならば、正午《しょうご》になる前《まえ》に余裕《よゆう》で爆弾《ばくだん》を解体出来《かいたいでき》る——はずだった。

ところが……。

ボン!!

突然《とつぜん》、観覧車《かんらんしゃ》の管制室《かんせいしつ》で二度目《にどめ》の爆発《ばくはつ》が起《お》こり、観覧車《かんらんしゃ》はガコンと音《おと》を立《た》てて止《と》まってしまった。

「と、止《と》まった!?」

白鳥刑事《しらとりけいじ》は、停止《ていし》した観覧車《かんらんしゃ》を見《み》てあせった表情《ひょうじょう》を浮《う》かべ、目暮警部《めぐれけいぶ》は、「早《はや》く消火器《しょうかき》を!!」と、近《ちか》くにいたスタッフを急《せ》かした。

「は、はい…」

スタッフはあわてて消火器《しょうかき》を持《も》ってくると、管制室《かんせいしつ》についた炎《ほのお》を消《け》しながら、

「でも変《へん》だなぁ、火《ひ》はほとんど消《け》したのに…」

と首《くび》をひねった。

止《と》まってしまった観覧車《かんらんしゃ》の中《なか》には、まだ松田刑事《まつだけいじ》がいる。佐藤刑事《さとうけいじ》はあわてて、松田刑《まつだけい》事《じ》に電話《でんわ》をかけた。

「もしもし松田君《まつだくん》？　松田君《まつだくん》!?　大丈夫《だいじょうぶ》？」

『あ…』

電話《でんわ》に出《で》た松田刑事《まつだけいじ》の口調《くちょう》は、冷静《れいせい》だった。

『だが今《いま》の振動《しんどう》で、妙《みょう》なスイッチが入《はい》っちまったぜ…。水銀《すいぎん》レバーだ…。わずかな振動《しんどう》でも中《なか》の玉《たま》が転《ころ》がり、玉《たま》が線《せん》に触《ふ》れたらオダブツよ…』

水銀《すいぎん》レバーとは、ガラス容器《ようき》の中《なか》に水銀《すいぎん》に金属《きんぞく》のボールを浮《う》かべた装置《そうち》のこと。容器《ようき》を傾《かたむ》けると中《なか》のボールが転《ころ》がり、容器《ようき》の端《はし》に取《と》り付《つ》けられた電極《でんきょく》に接触《せっしょく》して、電気《でんき》が通《とお》り爆《ばく》弾《だん》が爆発《ばくはつ》してしまう仕組《しく》みになっている。

『俺《おれ》の肉片《にくへん》を見《み》たくなきゃ、こいつを解体《かいたい》するまでゴンドラを動《うご》かすんじゃねーぞ！』

「で、でも爆発《ばくはつ》まであと5分《ふん》もないわよ！」

佐藤刑事《さとうけいじ》が、腕時計《うでどけい》を確認《かくにん》しながらあせった表情《ひょうじょう》を浮《う》かべる。

『フン…この程度《ていど》の仕掛《しか》け、3分《ぷん》も…ありゃ…』

言《い》いかけて、松田刑事《まつだけいじ》ははっと口《くち》をつぐんだ。

爆弾《ばくだん》に設置《せっち》された液晶《えきしょう》パネルに、突然《とつぜん》、文章《ぶんしょう》が流《なが》れてきたのだ。松田刑事《まつだけいじ》は佐藤刑事《さとうけいじ》と電話《でんわ》をつないだまま、文章《ぶんしょう》を読《よ》み上《あ》げた。

『〝勇敢《ゆうかん》なる警察官《けいさつかん》よ…君《きみ》の勇気《ゆうき》を称《たた》えて褒美《ほうび》を与《あた》えよう…。もう一《ひと》つのもっと大《おお》きな花《はな》火《び》の在処《ありか》のヒントを…。表示《ひょうじ》するのは爆発《ばくはつ》3秒前《びょうまえ》…健闘《けんとう》を祈《いの》る…』

「ちょ、ちょっと何言《なにい》ってんの？」

『これがたった今《いま》、液晶《えきしょう》パネルに表示《ひょうじ》された文字《もじ》だ…。どうやら爆弾《ばくだん》を止《と》めてパネルの電《でん》源《げん》が落《お》ちると、二度《にど》とそのヒントは拝《おが》めなくなっちまうらしい…。つまり奴《やつ》は最初《さいしょ》から警《けい》察《さつ》の誰《だれ》かをゴンドラに閉《と》じ込《こ》めて、この文字《もじ》を見《み》せるつもりだったってわけだ…』

「じゃあ、さっきの爆発《ばくはつ》は…この近《ちか》くに爆弾犯《ばくだんはん》がいるのね？」

爆弾犯《ばくだんはん》は、観覧車《かんらんしゃ》に仕掛《しか》けた爆弾《ばくだん》とは別《べつ》に、管制室《かんせいしつ》にも爆弾《ばくだん》を二《ふた》つ仕掛《しか》けていた。一《ひと》つ目《め》の爆弾《ばくだん》は、警察《けいさつ》が到着《とうちゃく》する前《まえ》にすでに爆発《ばくはつ》させていた。そして、松田刑事《まつだけいじ》が観覧車《かんらんしゃ》に乗《の》り込《こ》んだタイミングを見計《みはか》らって、二《ふた》つめの爆弾《ばくだん》も爆発《ばくはつ》させたのだ。

つまり犯人《はんにん》は、松田刑事《まつだけいじ》の動《うご》きが見《み》える位置《いち》にいるということになる。

佐藤刑事《さとうけいじ》は、さっと周囲《しゅうい》に視線《しせん》を巡《めぐ》らせた。しかし、辺《あた》りには野次馬《やじうま》がたくさん集《あつ》まっていて、すぐに不審者《ふしんしゃ》を見《み》つけだすのは難《むずか》しそうだ。

『この人混《ひとご》みの中《なか》から奴《やつ》を特定《とくてい》するのは難《むずか》しいが、もう一《ひと》つの爆弾《ばくだん》の在処《ありか》の見当《けんとう》はついてるぜ…』

「え？」

『ＦＡＸ《ファックス》に書《か》いてあったろ、「我《わ》が戦友《せんゆう》の首《くび》」って…。円卓《えんたく》の騎士《きし》は中世《ちゅうせい》ヨーロッパ…あの頃《ころ》の騎士《きし》は大抵《たいてい》、十字《じゅうじ》がデザインされた仮面《かめん》を付《つ》けてんだ…。もうわかるよな？』

佐藤刑事《さとうけいじ》は、ハッと目《め》を見開《みひら》いた。

「びょ、病院《びょういん》の地図記号《ちずきごう》!?」

国土地理院《こくどちりいん》が定《さだ》めた日本《にっぽん》の地図《ちず》において、病院《びょういん》は、五角形《ごかくけい》の中央《ちゅうおう》に十字《じゅうじ》をあしらった記号《きごう》であらわされることになっている。言《い》われてみれば確《たし》かに、中世《ちゅうせい》ヨーロッパの騎士《きし》が身《み》に着《つ》けていた仮面《かめん》のデザインにそっくりだ。

『ああ、そうだ！　それがどこの病院《びょういん》かは、ヒントを見《み》たら連絡《れんらく》する…』

「れ、連絡《れんらく》するって、ヒントが出《で》るの３秒前《びょうまえ》でしょ？」

『おっと、もう電池《でんち》が切《き》れそうだ…。じゃあな…』

そう言《い》うと、松田刑事《まつだけいじ》はあっさりと電話《でんわ》を切《き》ってしまった。

（ま、松田君《まつだくん》…？）

ツーツー、という音《おと》を聞《き》きながら、佐藤刑事《さとうけいじ》は松田刑事《まつだけいじ》のいるゴンドラをぼう然《ぜん》と見上《みあ》げた。

爆発《ばくはつ》の三秒前《さんびょうまえ》に表示《ひょうじ》されるヒントを見《み》てから爆弾《ばくだん》を解除《かいじょ》することなど、絶対《ぜったい》に不可能《ふかのう》だろう。つまり、自分《じぶん》が爆発《ばくはつ》に巻《ま》き込《こ》まれて死《し》ぬのを承知《しょうち》の上《うえ》で、ヒントが表示《ひょうじ》されるのを待《ま》つことにしたということだ。

「いかん！　あと1分《ぷん》だ!!」

「皆《みな》さんここから離《はな》れて!!」

目暮警部《めぐれけいぶ》と白鳥刑事《しらとりけいじ》が、集《あつ》まった野次馬《やじうま》を観覧車《かんらんしゃ》から遠《とお》ざける。

佐藤刑事《さとうけいじ》はなんとか松田刑事《まつだけいじ》を助《たす》けようと、観覧車《かんらんしゃ》に駆《か》け寄《よ》ろうとした。

「松田君《まつだくん》!!」

「よせ、佐藤《さとう》!!　もう間《ま》に合《あ》わん!!」

目暮警部《めぐれけいぶ》が、佐藤刑事《さとうけいじ》の肩《かた》をつかんで引《ひ》き止《と》める。白鳥刑事《しらとりけいじ》も、佐藤刑事《さとうけいじ》の前《まえ》に立《た》ちはだかり、

「危険《きけん》です、下《さ》がってください!!」

と、身《み》をていして佐藤刑事《さとうけいじ》を守《まも》ろうとした。

「でも、まだ彼《かれ》が…」

佐藤刑事《さとうけいじ》は、目《め》に涙《なみだ》を浮《う》かべ、爆弾《ばくだん》の仕掛《しか》けられたゴンドラを見上《みあ》げた。

（彼《かれ》が、中《なか》に…）


爆発《ばくはつ》の少《すこ》し前《まえ》、松田刑事《まつだけいじ》は煙草《たばこ》に火《ひ》をつけて、口《くち》にくわえた。

脳裏《のうり》に浮《う》かぶのは、殉職《じゅんしょく》した親友《しんゆう》、萩原《はぎわら》のことだ。

（悪《わる》いな、萩原《はぎわら》…）

松田刑事《まつだけいじ》は、液晶《えきしょう》パネルに表示《ひょうじ》された爆発《ばくはつ》までのカウントダウンが一秒《いちびょう》ずつ減《へ》っていくのを見《み》つめながら、萩原《はぎわら》に向《む》かって心《こころ》の中《なか》で呼《よ》びかけた。

（どうやらおまえとの約束《やくそく》は…）


ドオン!!

松田刑事《まつだけいじ》を乗《の》せた72番《ばん》のゴンドラは、佐藤刑事《さとうけいじ》たちの目《め》の前《まえ》で爆発《ばくはつ》してしまった。

爆煙《ばくえん》をあげて炎上《えんじょう》するゴンドラを、佐藤刑事《さとうけいじ》は放心《ほうしん》して見《み》つめた。

と、手《て》に握《にぎ》りしめていた携帯電話《けいたいでんわ》が、ブルル、ブルル……と振動《しんどう》し始《はじ》める。ぼう然《ぜん》としながらも携帯電話《けいたいでんわ》を操作《そうさ》すると、松田刑事《まつだけいじ》からメールが届《とど》いていた。爆発《ばくはつ》の直前《ちょくぜん》、爆弾《ばくだん》の液晶《えきしょう》パネルに表示《ひょうじ》されたヒントを見《み》てすばやく文章《ぶんしょう》を打《う》ち、送信《そうしん》してきたのだろう。

「ど…どうします…？　FAX《ファックス》によると爆弾《ばくだん》はもう一《ひと》つ…」

「そんな事《こと》わかっておるわ‼」

白鳥刑事《しらとりけいじ》に聞《き》かれ、目暮警部《めぐれけいぶ》が声《こえ》を荒《あら》らげる。

佐藤刑事《さとうけいじ》は目《め》に涙《なみだ》を浮《う》かべながら、目暮警部《めぐれけいぶ》たちにメール画面《がめん》を見《み》せた。

「米花中央病院《べいかちゅうおうびょういん》…もう一《ひと》つの爆弾《ばくだん》はここです！　すぐに爆発物処理班《ばくはつぶつしょりはん》を向《む》かわせてください‼」

目暮警部《めぐれけいぶ》の要請《ようせい》によって、爆発物処理班《ばくはつぶつしょりはん》はすみやかに米花中央病院《べいかちゅうおうびょういん》に向《む》かい、無事《ぶじ》に爆《ばく》弾《だん》を解体《かいたい》することが出来《でき》た。松田刑事《まつだけいじ》のおかげで、多《おお》くの命《いのち》が救《すく》われたのだ。

あの時《とき》、松田刑事《まつだけいじ》から送《おく》られてきたメールを、佐藤刑事《さとうけいじ》は三年《さんねん》経《た》った今《いま》でも消去《しょうきょ》することが出来《でき》ずにいる。
コナンたちとの実況見分《じっきょうけんぶん》の最中《さいちゅう》、ふいに松田刑事《まつだけいじ》のことを思《おも》い出《だ》してしまった佐藤刑事《さとうけいじ》は、三年前《さんねんまえ》に届《とど》いたメールを改《あらた》めて開《ひら》いた。

11/07　11:59
松田陣平《まつだじんぺい》
米花中央病院《べいかちゅうおうびょういん》

短《みじか》い文章《ぶんしょう》を読《よ》み直《なお》し、佐藤刑事《さとうけいじ》は心《こころ》の中《なか》で（バカね…）と、つぶやいた。
（ヒントを無視《むし》して解体《かいたい》していれば、助《たす》かったのに…）
そう思《おも》いつつ、画面《がめん》をスクロールすると、メールの続《つづ》きの文章《ぶんしょう》が表示《ひょうじ》された。

追伸《ついしん》
あんたの事《こと》
わりと好《す》きだったぜ

最後《さいご》のメールになることをわかっていて、わざわざそんなことを伝《つた》えてくれるなんて——佐藤刑事《さとうけいじ》は携帯電話《けいたいでんわ》のディスプレイを見《み》つめたまま、さびしげな表情《ひょうじょう》を浮《う》かべた。

(ホント、大《おお》バカ野郎《やろう》よ…)

佐藤刑事《さとうけいじ》が、メールを見《み》つめたまま黙《だま》りこくってしまったのを見《み》て、歩美《あゆみ》は首《くび》を傾《かし》げた。

「どうしたんだろ、佐藤刑事《さとうけいじ》…」

「固《かた》まっちゃってるわね…」

と、灰原《はいばら》も不思議《ふしぎ》そうな表情《ひょうじょう》だ。

その頃《ころ》、高木刑事《たかぎけいじ》は、歩道《ほどう》で白鳥刑事《しらとりけいじ》と立《た》ち話《ばなし》をしていた。白鳥刑事《しらとりけいじ》から、松田刑事《まつだけいじ》が殉職《じゅんしょく》した事件《じけん》について聞《き》かされていたのだ。

「へ——…3年前《ねんまえ》にそんな事《こと》があったんですか…」

高木刑事《たかぎけいじ》が沈《しず》んだ様子《ようす》でつぶやき、白鳥刑事《しらとりけいじ》は停《と》めてあった自分《じぶん》の車《くるま》に寄《よ》りかかったまま「あぁ…」とうなずいた。

実《じつ》は高木刑事《たかぎけいじ》は、優勝《ゆうしょう》パレードでの爆破事件《ばくはじけん》が起《お》こる前《まえ》に、佐藤刑事《さとうけいじ》とデートの約束《やくそく》をしていた。ところが突然《とつぜん》、佐藤刑事《さとうけいじ》から、

——止《や》めにしよっか！　今度《こんど》のデート！　私《わたし》、呪《のろ》われてるし…。

と、予定《よてい》をキャンセルされてしまったのだ。

白鳥刑事《しらとりけいじ》から松田刑事《まつだけいじ》のことを聞《き》き、高木刑事《たかぎけいじ》はようやく、デートがキャンセルになった理由《りゆう》がわかった。きっと佐藤刑事《さとうけいじ》は、松田刑事《まつだけいじ》のことをまだ忘《わす》れられずにいるのだろう。

「佐藤《さとう》さんがまだ彼《かれ》の事《こと》を引《ひ》きずっているのなら、我々《われわれ》に勝《か》ち目《め》はないよ…」

白鳥刑事《しらとりけいじ》が言《い》い、高木刑事《たかぎけいじ》は「で、ですよね…」とますます落《お》ちこんでしまう。

「まぁ我々《われわれ》も、殉職《じゅんしょく》すれば少《すこ》しは対抗《たいこう》できるかもしれないがね…」

「ちょ、ちょ、ちょっと、縁起《えんぎ》でもない事言《ことい》わないでくださいよ!!」

二人《ふたり》が立《た》ち話《ばなし》をしていると、佐藤刑事《さとうけいじ》が、コナンたちと一緒《いっしょ》に歩《ある》いてきた。

「あ、佐藤《さとう》さん！」

「あら…」

「終《お》わったんですか、実況見分《じっきょうけんぶん》…」

高木刑事《たかぎけいじ》に聞《き》かれ、佐藤刑事《さとうけいじ》は「ええ…」とうなずいて、

「あなた達《たち》はどうだった？」

と聞《き》き返《かえ》した。

「一応《いちおう》、店内《てんない》を調《しら》べたんですが…」

「どうやらガセネタだったようで…」

高木刑事《たかぎけいじ》と白鳥刑事《しらとりけいじ》が、順番《じゅんばん》に答《こた》える。

「だったら後《あと》で由美《ゆみ》とカラオケに行《い》くんだけど、あなた達《たち》も行《い》く？」

佐藤刑事《さとうけいじ》が誘《さそ》い、高木刑事《たかぎけいじ》は「え、ええ…いいですよ…」とうなずいた。

「じゃあ君《きみ》だけで行《い》きたまえ…今日《きょう》はそういう気分《きぶん》になれないんで、僕《ぼく》は遠慮《えんりょ》しておくよ…」

そう言《い》うと、白鳥刑事《しらとりけいじ》は停《と》めてあった自分《じぶん》の車《くるま》の運転席《うんてんせき》に乗《の》りこんだ。

エンジンをかけるため、車《くるま》のカギを差《さ》し込《こ》もうとして、日《ひ》よけの上《うえ》に妙《みょう》な紙《かみ》が貼《は》られていることに気《き》が付《つ》く。

「ん？」

紙《かみ》には、パソコンで出力《しゅつりょく》した文章《ぶんしょう》が印字《いんじ》されていた。

俺《おれ》は剛球豪打《ごうきゅうごうだ》の
メジャーリーガー
さあ延長戦《えんちょうせん》の始《はじ》まりだ

一方《いっぽう》、コナンは、先《さき》ほどの佐藤刑事《さとうけいじ》たちの会話《かいわ》が気《き》になっていた。白鳥刑事《しらとりけいじ》と高木刑事《たかぎけいじ》が店内《てんない》を調《しら》べたということは、二人《ふたり》は何《なに》かの事件《じけん》の捜査《そうさ》のためにここへ来《き》たのだろう。

「ねえ、何《なん》の捜査《そうさ》でここに来《き》てたの？」

「爆弾《ばくだん》を仕掛《しか》けたって、変《へん》な予告電話《よこくでんわ》があってね…。今日《きょう》は7年前《ねんまえ》と3年前《ねんまえ》の爆弾事件《ばくだんじけん》と同《おな》じ11月《がつ》7日《か》だから一応《いちおう》来《き》てみたんだけど…」

高木刑事《たかぎけいじ》の説明《せつめい》を聞《き》いて、コナンは嫌《いや》な予感《よかん》をおぼえた。

(爆弾予告《ばくだんよこく》…ガセネタ…ま、まさか…)

ハッとして、白鳥刑事《しらとりけいじ》の車《くるま》の方《ほう》を振《ふ》り返《かえ》った、次《つぎ》の瞬間《しゅんかん》――

ドン!!

白鳥刑事《しらとりけいじ》の車《くるま》が爆発《ばくはつ》し、真《ま》っ黒《くろ》い煙《けむり》を噴《ふ》きながら炎上《えんじょう》した。


「白鳥君《しらとりくん》!?　し、白鳥君《しらとりくん》!?」

白鳥刑事《しらとりけいじ》の車《くるま》が爆発《ばくはつ》したのを見《み》て、佐藤刑事《さとうけいじ》は血相《けっそう》を変《か》えて車《くるま》に駆《か》け寄《よ》った。コナンと高木刑事《たかぎけいじ》が追《お》いかけ、そして阿笠博士《あがさはかせ》や少年探偵団《しょうねんたんていだん》たちも後《あと》に続《つづ》く。

燃《も》えさかる車《くるま》を見《み》て、通行人《つうこうにん》たちは「ちょっと、何《なに》よあれ?」「また爆弾《ばくだん》かよ!?」と、次々《つぎつぎ》に足《あし》を止《と》めた。

「白鳥君《しらとりくん》!?　白鳥君《しらとりくん》!?」

何度《なんど》も呼《よ》びかけながら、佐藤刑事《さとうけいじ》は車《くるま》の運転席側《うんてんせきがわ》にまわった。爆発《ばくはつ》の衝撃《しょうげき》で、運転席《うんてんせき》のドアは吹き飛《ふと》んでしまっている。

車内《しゃない》をのぞきこむと、そこに白鳥刑事《しらとりけいじ》の姿《すがた》はなかった。

(え?)

驚《おどろ》く佐藤刑事《さとうけいじ》に、どこからか白鳥刑事《しらとりけいじ》が弱々《よわよわ》しく声《こえ》をかける。

「き、危険《きけん》です…。は、早《はや》くその車《くるま》から…は、離《はな》れて…」

声《こえ》のした方《ほう》を振《ふ》り返《かえ》ると、白鳥刑事《しらとりけいじ》が、運転席《うんてんせき》から少《すこ》し離《はな》れた地面《じめん》の上《うえ》で仰向《あおむ》けに倒《たお》れていた。額《ひたい》の右《みぎ》から血《ち》を流《なが》し、身体《からだ》の上《うえ》には運転席《うんてんせき》のドアがのっている。

「し、白鳥君《しらとりくん》!?」

佐藤刑事《さとうけいじ》はあわてて白鳥刑事《しらとりけいじ》に駆《か》け寄《よ》り、ドアをどけた。

「だ…大丈夫《だいじょうぶ》ですか?」

高木刑事《たかぎけいじ》も、心配《しんぱい》そうに様子《ようす》をうかがう。

白鳥刑事《しらとりけいじ》は、ハァハァと荒《あら》い呼吸《こきゅう》を繰《く》り返《かえ》しながら、「あ、ああ…」とうなずいた。

「き、君《きみ》のようにうまく逃《に》げられなかったようだがね…」

優勝《ゆうしょう》パレードの時《とき》には、高木刑事《たかぎけいじ》の車《くるま》に爆弾《ばくだん》が仕掛《しか》けられていた。高木刑事《たかぎけいじ》はほぼ無傷《むきず》で逃《に》げることが出来《でき》たが、白鳥刑事《しらとりけいじ》はケガを負《お》ってしまったようだ。

「高木君《たかぎくん》！　すぐにこの道《みち》を封鎖《ふうさ》して救急車《きゅうきゅうしゃ》を!!」

「は、はい!!」

佐藤刑事《さとうけいじ》の指示《しじ》を受《う》け、高木刑事《たかぎけいじ》が走《はし》っていく。

白鳥刑事《しらとりけいじ》の呼吸《こきゅう》は、ハァハァと荒《あら》いままだ。しかし、意識《いしき》ははっきりしているようだった。

「でも、しゃべれるんなら大丈夫《だいじょうぶ》そうね…」

佐藤刑事《さとうけいじ》がほっとした表情《ひょうじょう》を浮《う》かべるが、コナンは白鳥刑事《しらとりけいじ》の左手《ひだりて》に触《ふ》れながら、

「いや…」

と首《くび》を振《ふ》った。

「右側頭部《みぎそくとうぶ》から出血《しゅっけつ》し、左《ひだり》の手足《てあし》が麻痺《まひ》している…これは多分《たぶん》…」

コナンの言葉《ことば》の続《つづ》きを引《ひ》き取《と》るかのように、灰原《はいばら》が「急性硬膜下血腫《きゅうせいこうまくかけっしゅ》…」と冷静《れいせい》に告《つ》げ

た。

急性硬膜下血腫《きゅうせいこうまくかけっしゅ》とは、頭蓋骨《ずがいこつ》の中《なか》にある硬膜《こうまく》と脳《のう》の間《あいだ》に血《ち》がたまってしまい、そのせいで脳《のう》が強《つよ》く圧迫《あっぱく》されている状態《じょうたい》のことだ。

「早《はや》く病院《びょういん》に連《つ》れて行《い》かないと…ヤバイわよ…」

灰原《はいばら》の言葉《ことば》に、歩美《あゆみ》は「そ、そんな…」と、声《こえ》を震《ふる》わせた。

そうしている間《あいだ》にも、白鳥刑事《しらとりけいじ》のすぐ近《ちか》くでは、車《くるま》が煙《けむり》をあげて燃《も》え続《つづ》けている。

「とにかく、ガソリンに引火《いんか》したら二次爆発《にじばくはつ》が起《お》きかねん！　救急車《きゅうきゅうしゃ》が来《く》るまで白鳥警部《しらとりけいぶ》を車《くるま》から離《はな》そう…」

阿笠博士《あがさはかせ》が言《い》い、佐藤刑事《さとうけいじ》は動揺《どうよう》しながらも「そ、そうね…」とうなずいた。

みんなで協力《きょうりょく》して、なるべく揺《ゆ》らさないよう気《き》をつけながら、白鳥刑事《しらとりけいじ》の身体《からだ》を離《はな》れた場所《ばしょ》まで運《はこ》ぶ。

入《い》れ替《か》わるように、警備員《けいびいん》が消火器《しょうかき》を持《も》って駆《か》け付《つ》け、なんとか炎《ほのお》を消《け》し止《と》めることが出来《でき》た。

「けどよォ…ひでぇよな…」

「ええ…いったい誰《だれ》がこんな事《こと》を…」

黒《くろ》コゲになった車《くるま》を遠《とお》くから見《み》つめ、元太《げんた》と光彦《みつひこ》は眉《まゆ》をひそめてささやき合《あ》った。

「犯人《はんにん》はわからねーが、狙《ねら》いは警察官《けいさつかん》だって事《こと》は確《たし》かだぜ…」

コナンが言《い》い、光彦《みつひこ》は「え？」ときょとんとした表情《ひょうじょう》を浮《う》かべた。

「店《みせ》の中《なか》に爆弾《ばくだん》を仕掛《しか》けたっていうガセネタで警察《けいさつ》をおびき出《だ》し、刑事《けいじ》が店内《てんない》の爆弾《ばくだん》を探《さが》している間《あいだ》に、本物《ほんもの》を車《くるま》の中《なか》に仕掛《しか》けたんだよ…。店《みせ》の外《そと》に避難《ひなん》させられた、大勢《おおぜい》の客《きゃく》の影《かげ》に隠《かく》れてな…」

白鳥刑事《しらとりけいじ》と高木刑事《たかぎけいじ》がこの場所《ばしょ》にやってきたのは、爆弾《ばくだん》を仕掛《しか》けたという予告電話《よこくでんわ》があったためだった。結局《けっきょく》、店内《てんない》に爆弾《ばくだん》は仕掛《しか》けられていなかったが、警察《けいさつ》をこの場所《ばしょ》におびき寄《よ》せることこそが犯人《はんにん》の目的《もくてき》だったのだ。

「さっき見《み》た感《かん》じだと起爆装置《きばくそうち》は多分《たぶん》、車《くるま》のドアを開《あ》けると安全《あんぜん》ピンが外《はず》れ、もう一度《いちど》開《あ》けて外《そと》に出《で》ようとすると着火《ちゃっか》する仕掛《しか》け…。問題《もんだい》は、白鳥警部《しらとりけいぶ》がどうしてすぐ外《そと》に出《で》ようとしたかだけど…」

けわしい表情《ひょうじょう》で言《い》うと、コナンは白鳥刑事《しらとりけいじ》の方《ほう》を振《ふ》り返《かえ》った。

白鳥刑事《しらとりけいじ》は、つらそうに呼吸《こきゅう》を繰《く》り返《かえ》しながら、そばにいる佐藤刑事《さとうけいじ》に一枚《いちまい》の紙《かみ》を手渡《てわた》した。運転席《うんてんせき》の日《ひ》よけの上《うえ》に貼《は》られていた、あの紙《かみ》だ。

「え、何《なに》？　紙《かみ》？」

「その紙《かみ》を…すぐにあなたに見《み》せたくて…。あ、あなたを悩《なや》ませている消《け》せない記憶《きおく》…。それを吹《ふ》っ切《き》るチャンスですから…」

そこに書《か》かれていたのは、爆弾《ばくだん》を仕掛《しか》けた犯人《はんにん》からの暗号文《あんごうぶん》だった。この紙《かみ》を一刻《いっこく》も早《はや》く佐藤刑事《さとうけいじ》に見《み》せるために、白鳥刑事《しらとりけいじ》はあわてて車《くるま》の外《そと》に出《で》ようとしたのだ。

佐藤刑事《さとうけいじ》は犯人《はんにん》からの暗号文《あんごうぶん》を読《よ》み上《あ》げた。

「俺《おれ》は剛球豪打《ごうきゅうごうだ》のメジャーリーガー…。さあ延長戦《えんちょうせん》の始《はじ》まりだ…。試合開始《しあいかいし》の合図《あいず》は明日《あした》正午《しょうご》、終了《しゅうりょう》は午後《ごご》3時《じ》…。出来《でき》のいいストッパーを用意《ようい》しても無駄《むだ》だ…。最後《さいご》は俺《おれ》が逆転《ぎゃくてん》する…。試合《しあい》を中止《ちゅうし》したくば俺《おれ》の元《もと》へ来《こ》い…。血塗《ちぬ》られたマウンドに、貴様《きさま》ら警察《けいさつ》が登《のぼ》るのを鋼《はがね》のバッターボックスで待《ま》っている…」

暗号文《あんごうぶん》の出《で》だしと終《お》わりの文章《ぶんしょう》から、佐藤刑事《さとうけいじ》はすぐに、三年前《さんねんまえ》の爆弾事件《ばくだんじけん》で届《とど》いた暗号文《あんごうぶん》を連想《れんそう》した。

(我《われ》は円卓《えんたく》の騎士《きし》…。72番目《ばんめ》の席《せき》を空《あ》けて待《ま》っている…)

三年前《さんねんまえ》、犯人《はんにん》は自分《じぶん》のことを円卓《えんたく》の騎士《きし》にたとえた。今回《こんかい》の犯人《はんにん》も、同《おな》じように自分《じぶん》のことを、豪速球《ごうそっきゅう》のメジャーリーガーにたとえている。さらに、脅迫状《きょうはくじょう》の最後《さいご》が「待《ま》っている」という言葉《ことば》で終《お》わっている点《てん》も、三年前《さんねんまえ》と同《おな》じだ。

(待《ま》っている…待《ま》っている…)

間違《まちが》いない。今回《こんかい》の事件《じけん》の犯人《はんにん》は、三年前《さんねんまえ》に松田刑事《まつだけいじ》の命《いのち》を奪《うば》った爆弾犯《ばくだんはん》と同一人物《どういつじんぶつ》だ。

佐藤刑事《さとうけいじ》は憎《にく》しみにかられ、暗号文《あんごうぶん》の書《か》かれた紙《かみ》きれをグシャッと握《にぎ》りしめた。

白鳥刑事《しらとりけいじ》が救急車《きゅうきゅうしゃ》で病院《びょういん》に運《はこ》ばれていくと、佐藤刑事《さとうけいじ》は歩道《ほどう》に立《た》ったまま、目暮警部《めぐれけいぶ》に電話《でんわ》をかけて事件《じけん》について報告《ほうこく》した。電話《でんわ》を受《う》けた目暮警部《めぐれけいぶ》は、白鳥刑事《しらとりけいじ》のことを聞《き》いて、かなり動揺《どうよう》したようだった。

『ほ、本当《ほんとう》かね？　白鳥君《しらとりくん》が爆発《ばくはつ》に巻《ま》き込《こ》まれたというのは!?』

「はい…。たった今《いま》、救急車《きゅうきゅうしゃ》に乗《の》せて近《ちか》くの病院《びょういん》へ…。重傷《じゅうしょう》です…」

そう報告《ほうこく》すると、佐藤刑事《さとうけいじ》は「そちらの状況《じょうきょう》は？」と、目暮警部《めぐれけいぶ》に聞《き》いた。電話《でんわ》の向《む》こうからは、刑事《けいじ》たちのガヤガヤとせわしない物音《ものおと》が聞《き》こえてくる。警視庁内《けいしちょうない》もかなり混乱《こんらん》しているようだ。

『今《いま》、君《きみ》が言《い》った文《ぶん》と同《おな》じ内容《ないよう》のＦＡＸ《ファックス》が、警視庁管轄内《けいしちょうかんかつない》の全《すべ》ての警察署《けいさつしょ》に一斉《いっせい》に送《おく》られて来《き》て、大騒《おおさわ》ぎになっておるよ…。もしかしたら7年前《ねんまえ》と3年前《ねんまえ》の爆弾犯《ばくだんはん》じゃないかって…』

「もしかしたらじゃありません…。間違《まちが》いなくそうだと松本管理官《まつもとかんりかん》に伝《つた》えてください!! 3年前《ねんまえ》の事件《じけん》で公開《こうかい》された予告《よこく》ＦＡＸ《ファックス》は前半部分《ぜんはんぶぶん》だけ…。こんなに酷似《こくじ》した文《ぶん》は、模倣犯《もほうはん》には書《か》けませんから…」

その時《とき》、佐藤刑事《さとうけいじ》の背後《はいご》の車道《しゃどう》に一台《いちだい》の車《くるま》が停《と》まり、千葉和伸刑事《ちばかずのぶけいじ》が降《お》りてきた。

「さ、佐藤《さとう》さん！　車《くるま》、回《まわ》しましたけど…」

「あ、悪《わる》いわね千葉君《ちばくん》…」

そう言《い》うと、佐藤刑事《さとうけいじ》は電話口《でんわぐち》の目暮警部《めぐれけいぶ》に向《む》かって、「じゃあ、私《わたし》は捜査《そうさ》に…」と告《つ》げた。

『お、おい、佐藤君《さとうくん》!?　佐藤君《さとうくん》!?』

目暮警部《めぐれけいぶ》があわてて呼《よ》び止《と》めるが、佐藤刑事《さとうけいじ》は一方的《いっぽうてき》に電話《でんわ》を切《き》ると、千葉刑事《ちばけいじ》が運転《うんてん》してきた車《くるま》の運転席《うんてんせき》に乗《の》りこんでしまった。


目暮警部《めぐれけいぶ》からの報告《ほうこく》を受《う》けた松本管理官《まつもとかんりかん》は、都内《とない》の警察署《けいさつしょ》にすぐさま連絡《れんらく》を入《い》れた。

「至急《しきゅう》、至急《しきゅう》、警視庁《けいしちょう》から各局《かっきょく》!!　場所《ばしょ》は不明《ふめい》なるも、爆弾《ばくだん》を仕掛《しか》けた旨《むね》の犯行予告《はんこうよこく》あり!!　爆弾《ばくだん》は二《ふた》つ!!　爆発時間《ばくはつじかん》は明日正午《みょうにちしょうご》12時《じ》と同日《どうじつ》15時《じ》と思《おも》われる!!　先《さき》の事件《じけん》の例《れい》からして、信憑性《しんぴょうせい》が極《きわ》めて高《たか》い!!　厳重《げんじゅう》に警戒《けいかい》すると共《とも》に、被疑者《ひぎしゃ》の必検《ひっけん》を期《き》して捜査《そうさ》に当《あ》たれ!!!　無論《むろん》、特異事項《とくいじこう》は即報《そくほう》せよ!!」

松本管理官《まつもとかんりかん》の連絡《れんらく》を受《う》け、たくさんのパトカーが、ファンファンとサイレンを鳴《な》らしながら夜《よる》の街《まち》を走《はし》っていく。警視庁《けいしちょう》では、なんとか爆弾《ばくだん》が仕掛《しか》けられた場所《ばしょ》を特定《とくてい》しようと、刑事《けいじ》たちが躍起《やっき》になって捜査《そうさ》にあたっていた。

佐藤刑事《さとうけいじ》は一人《ひとり》、車《くるま》のハンドルを握《にぎ》りながら、あせっていた。

——チャンスですから…。

脳裏《のうり》をよぎるのは、白鳥刑事《しらとりけいじ》に言《い》われた言葉《ことば》だ。

——消《け》せない記憶《きおく》を吹《ふ》っ切《き》る、チャンスですから…。

爆弾《ばくだん》が爆発《ばくはつ》した時《とき》、白鳥刑事《しらとりけいじ》は、犯人《はんにん》からの暗号文《あんごうぶん》を佐藤刑事《さとうけいじ》に一刻《いっこく》も早《はや》く知《し》らせようとしていた。それほどまでに、松田刑事《まつだけいじ》のことを吹《ふ》っ切《き》ってほしかったのだ。

(そうだ、吹《ふ》っ切《き》らなきゃ…。あの爆弾犯《ばくだんはん》を挙《あ》げて忘《わす》れなきゃ…)

そう思《おも》えば思《おも》うほど、佐藤刑事《さとうけいじ》はかえってじりじりとあせった。

松田刑事《まつだけいじ》と行動《こうどう》をともにしていた頃《ころ》の記憶《きおく》が、思《おも》い出《だ》される。

佐藤刑事《さとうけいじ》はいつも、刑事《けいじ》だった父親《ちちおや》の形見《かたみ》の手錠《てじょう》を持《も》ち歩《ある》いていた。佐藤刑事《さとうけいじ》の父親《ちちおや》は、ある事件《じけん》の犯人《はんにん》を突《つ》き止《と》めて自首《じしゅ》するよう説得《せっとく》している最中《さいちゅう》、交通事故《こうつうじこ》にあって亡《な》くなってしまったのだ。

佐藤刑事《さとうけいじ》から父親《ちちおや》の話《はなし》を聞《き》いた松田刑事《まつだけいじ》は、

「へぇー、殉職《じゅんしょく》した親父《おやじ》の形見《かたみ》を、お守《まも》り代《が》わりにねぇ…」

とひとりごとのように言《い》うと、形見《かたみ》の手錠《てじょう》を手《て》に取《と》って「ホォー…」とつぶやきながらクルクル振《ふ》り回《まわ》した。

「ちょっと返《かえ》してよ！　どーせ、そんなのいつまでも持《も》ってないで吹《ふ》っ切《き》らなきゃ、前《まえ》に進《すす》めないって言《い》いたいんでしょ？」

佐藤刑事《さとうけいじ》が手錠《てじょう》を取《と》り返《かえ》そうとすると、松田刑事《まつだけいじ》は小《ちい》さく唇《くちびる》の端《はし》をあげて笑《わら》った。

「いや…忘《わす》れることたぁねーよ…」

「え？」

「前《まえ》に進《すす》めるかは、あんた次第《しだい》…。あんたが忘《わす》れちまったら、あんたの親父《おやじ》は…本当《ほんとう》に死《し》んじまうぜ？」

そう言《い》いながら、松田刑事《まつだけいじ》は形見《かたみ》の手錠《てじょう》を、ていねいな手《て》つきで佐藤刑事《さとうけいじ》に差《さ》し出《だ》した。

普段《ふだん》はぶっきらぼうで、反抗的《はんこうてき》な態度《たいど》を取《と》ってばかりいた松田刑事《まつだけいじ》だが、佐藤刑事《さとうけいじ》を勇《ゆう》気《き》づけてくれることもあったのだ。

(松田君《まつだくん》……)

松田刑事《まつだけいじ》との思《おも》い出《で》がよみがえり、佐藤刑事《さとうけいじ》は目《め》に涙《なみだ》をにじませた。

その時《とき》、車《くるま》の後部座席《こうぶざせき》で、「ねぇ…」と声《こえ》がした。振《ふ》り返《かえ》ると、いつの間《ま》に忍《しの》びこんだのか、コナンが一人《ひとり》で座《すわ》っている。

「教《おし》えてくれない？　どうしてこの爆弾犯《ばくだんはん》は警察《けいさつ》を目《め》の敵《かたき》にしてるの？」

「コ、コナン君《くん》!?　いつこの車《くるま》に!?」

佐藤刑事《さとうけいじ》が問《と》いただすが、コナンはさらりと聞《き》き流《なが》して、「ねぇ、答《こた》えてよ…」と、食《く》い下《さ》がった。

「……」

佐藤刑事《さとうけいじ》は、ためらいつつも、七年前《ななねんまえ》の事件《じけん》について重《おも》い口《くち》を開《ひら》いた。

「7年前《ねんまえ》の事件《じけん》の時《とき》、爆弾犯《ばくだんはん》は二人《ふたり》いたのよ…。爆弾《ばくだん》が仕掛《しか》けられた場所《ばしょ》は、都内《とない》にある二《ふた》つの高級《こうきゅう》マンション…。要求《ようきゅう》は10億円《おくえん》で、住人《じゅうにん》が一人《ひとり》でも避難《ひなん》したら即《そく》、爆破《ばくは》するという条件《じょうけん》だったわ…。一《ひと》つはなんとか時間内《じかんない》に解体《かいたい》できたけど、もう一《ひと》つは手間《てま》取って仕方《しかた》なく爆弾犯《ばくだんはん》の要求《ようきゅう》を飲《の》む事《こと》にし、起爆装置《きばくそうち》のタイマーは爆弾犯《ばくだんはん》のリモコンによって止《と》められて、住民《じゅうみん》は全《すべ》て避難《ひなん》し、事件《じけん》は終《お》わったかに見《み》えた…」

佐藤刑事《さとうけいじ》は、声《こえ》を暗《くら》くして続《つづ》けた。

「ところがその30分後《ぷんご》に突然《とつぜん》、爆弾犯《ばくだんはん》の一人《ひとり》から警察《けいさつ》に電話《でんわ》が入《はい》ったのよ…。『爆弾《ばくだん》のタイマーがまだ動《うご》いてるって、どういう事《こと》だ？』ってね…。多分《たぶん》、その頃《ころ》TV《テレビ》で流《なが》れた、事《じ》件《けん》を振《ふ》り返《かえ》るVTR《ブイティーアール》の部分《ぶぶん》だけを観《み》て勘違《かんちが》いしたんだろうけど……」

七年前《ななねんまえ》の爆破事件《ばくはじけん》はマスコミにも大《おお》きく取《と》り上《あ》げられ、爆弾《ばくだん》が止《と》められた後《あと》も、たくさんのTV局《テレビきょく》が事件《じけん》について報《ほう》じた。その中《なか》の一社《いっしゃ》が、事件《じけん》の流《なが》れを振《ふ》り返《かえ》るため、爆弾《ばくだん》が停止《ていし》する前《まえ》の映像《えいぞう》を流《なが》していた。『爆弾《ばくだん》のタイマーはまだ動《うご》いています！』とアナウンサーが実況《じっきょう》する場面《ばめん》だ。それを見《み》た犯人《はんにん》は、番組《ばんぐみ》が生中継《なまちゅうけい》だと勘違《かんちが》いをして、あわてて警察《けいさつ》に電話《でんわ》をかけたのだろう。

「警察《けいさつ》は、爆弾犯《ばくだんはん》を確保《かくほ》する絶好《ぜっこう》のチャンスだと思《おも》い、話《はなし》を引《ひ》き伸《の》ばして逆探知《ぎゃくたんち》に成功《せいこう》し、電話《でんわ》ボックス内《ない》にいる爆弾犯《ばくだんはん》を発見《はっけん》…。でも運悪《うんわる》く、慌《あわ》てて逃《に》げた爆弾犯《ばくだんはん》は、逃走中《とうそうちゅう》に車《くるま》にはねられて死亡《しぼう》…」

「じゃあどうして、爆弾犯《ばくだんはん》がもう一人《ひとり》いるってわかったの？」

「止《と》まってたはずのタイマーが再《ふたた》び動《うご》き出《だ》して、爆弾《ばくだん》が爆発《ばくはつ》したのよ…。安心《あんしん》して爆弾《ばくだん》を解体《かいたい》していた爆発物処理班《ばくはつぶつしょりはん》を巻《ま》き込《こ》んでね…」

その時《とき》に亡《な》くなった爆発物処理班《ばくはつぶつしょりはん》の一人《ひとり》が、松田刑事《まつだけいじ》の親友《しんゆう》だった萩原研二《はぎわらけんじ》という男《おとこ》だ。

長《なが》く伸《の》ばした髪《かみ》と少《すこ》し垂《た》れた目《め》じりが印象的《いんしょうてき》なイケメンで、さらに話《はな》し上手《じょうず》だったため、警察学校時代《けいさつがっこうじだい》から女性《じょせい》にとても人気《にんき》があった。

佐藤刑事《さとうけいじ》はもどかしそうに目《め》を細《ほそ》めて続《つづ》けた。

「事故死《じこし》した爆弾犯《ばくだんはん》の住所《じゅうしょ》はすぐに突《つ》き止《と》めたけど…。わかったのは誰《だれ》かと二人《ふたり》で住《す》んでいた事《こと》だけ…。多分《たぶん》、もう一人《ひとり》のその爆弾犯《ばくだんはん》は思《おも》ったでしょうね…。我々警察《われわれけいさつ》がウソの情《じょう》報《ほう》をTV《テレビ》で流《なが》し、仲間《なかま》を罠《わな》に掛《か》けて殺《ころ》したってね…」

その頃《ころ》。

光彦《みつひこ》、歩美《あゆみ》、元太《げんた》、そして灰原《はいばら》は、高木刑事《たかぎけいじ》の運転《うんてん》する車《くるま》にこっそりと乗《の》りこんでいた。

高木刑事《たかぎけいじ》は子供《こども》たちがいることに気付《きづ》き、大《おお》あわてで家《いえ》に帰《かえ》そうとした。しかし子供《こども》たちは誰《だれ》も車《くるま》から降《お》りようとしない。七年前《ななねんまえ》の事件《じけん》について話《はな》してくれたら言《い》うことを聞《き》く、と条件《じょうけん》を出《だ》され、高木刑事《たかぎけいじ》は仕方《しかた》なく事件《じけん》について説明《せつめい》した。

爆弾犯《ばくだんはん》は、七年前《ななねんまえ》に警察《けいさつ》が仲間《なかま》を罠《わな》にはめて殺《ころ》したと思《おも》っている——そんな事情《じじょう》を知《し》った光彦《みつひこ》は、爆弾犯《ばくだんはん》の身勝手《みがって》ぶりに驚《おどろ》いたようだった。

「それじゃあまるっきり、逆恨《さかうら》みじゃないですか!!」

「あ、ああ…。さあ、わけを話《はな》したんだから、もう降《お》りてくれよ!」

ハンドルを握《にぎ》りながら、高木刑事《たかぎけいじ》がやんわりと言《い》う。

しかし、歩美《あゆみ》も元太《げんた》も、最初《さいしょ》から車《くるま》を降《お》りるつもりなどなかったらしく、

「私達《わたしたち》も手伝《てつだ》うもん!」

「一人《ひとり》より、いっぱいいいた方《ほう》がお買《か》い得《どく》だぞ!」

と、口々《くちぐち》に抵抗《ていこう》した。

人《ひと》のよい高木刑事《たかぎけいじ》は、子供相手《こどもあいて》に強《つよ》い態度《たいど》に出《で》ることが出来《でき》ず、すっかり困《こま》ってしまった。

「でもねぇ…子供《こども》を乗《の》せて捜査《そうさ》してるなんて、バレたら…」

「あら…こういう子供《こども》じみた暗号《あんごう》は案外《あんがい》、子供《こども》の方《ほう》が解《と》きやすいのよ…」

そう口《くち》を挟《はさ》んできたのは、助手席《じょしゅせき》に座《すわ》った灰原《はいばら》だ。

灰原《はいばら》は、都内《となない》の地図《ちず》を手《て》に持《も》ちながら、高木刑事《たかぎけいじ》の方《ほう》をちらりと見《み》て続《つづ》けた。

「それとも、江戸川君抜《えどがわくんぬ》きの私達《わたしたち》だけじゃ…不満《ふまん》なのかしら？」

「そ、そういうわけじゃ…」

高木刑事《たかぎけいじ》は、遠慮《えんりょ》して言葉《ことば》をにごしてしまう。

「でもどうして、犯人《はんにん》はわざわざ暗号《あんごう》を送《おく》って来《き》たんでしょうか？」

「何《なに》も言《い》わなきゃ見《み》つかりっこないのに…」

光彦《みつひこ》と歩美《あゆみ》が不思議《ふしぎ》そうにつぶやくと、灰原《はいばら》が助手席《じょしゅせき》から振《ふ》り返《かえ》って聞《き》いた。

「あなた達《たち》が宝物《たからもの》を隠《かく》して、誰《だれ》かが探《さが》しに来《き》たらどーする？」

「ドキドキしながら、黙《だま》って見《み》てるけど…」

歩美《あゆみ》が答《こた》えると、灰原《はいばら》は、

「その宝物《たからもの》を、落《お》とし穴《あな》の中《なか》に隠《かく》していたとしたら？」

と、さらに質問《しつもん》を重《かさ》ねた。

「そりゃーもちろん…」と、元太《げんた》。

「ヒントをちょっとずつ言《い》って…」と、光彦《みつひこ》。

宝物《たからもの》を落《お》とし穴《あな》の中《なか》に隠《かく》したのなら、当然《とうぜん》、探《さが》しに来《き》た誰《だれ》かが落《お》ちるところを見《み》たい。

ヒントを小出《こだ》しにして、上手《うま》く宝物《たからもの》の在処《ありか》を見《み》つけられるよう誘導《ゆうどう》するはずだ。

歩美《あゆみ》は犯人《はんにん》が暗号《あんごう》を送《おく》ってきた理由《りゆう》にピンときて、

「そっか！　だから暗号《あんごう》を…」

と、つぶやいた。

手《て》の中《なか》の地図《ちず》に視線《しせん》を戻《もど》しながら、灰原《はいばら》が「そう…」と静《しず》かにうなずく。

「犯人《はんにん》はまるで子供《こども》…。爆弾《ばくだん》という玩具《オモチャ》を手《て》に入《い》れた、質《たち》の悪《わる》いガキだわ…」


こうして、コナンは佐藤刑事《さとうけいじ》と一緒《いっしょ》に、灰原《はいばら》、歩美《あゆみ》、光彦《みつひこ》、元太《げんた》は高木刑事《たかぎけいじ》と一緒《いっしょ》に、爆弾事件《ばくだんじけん》の犯人《はんにん》を追《お》うことになった。

しかし、子供《こども》たちが遅《おそ》くまで家《いえ》に帰《かえ》らないと、親《おや》が心配《しんぱい》してしまう。そこで、アリバイ作《づく》りのため、阿笠博士《あがさはかせ》がそれぞれの家《いえ》に電話《でんわ》をかけることになった。

阿笠博士《あがさはかせ》からの電話《でんわ》を取《と》った蘭《らん》は、コナンが今日《きょう》は帰《かえ》らないと聞《き》いて『ええっ⁉』と驚《おどろ》いてしまった。

『今夜《こんや》は博士《はかせ》の家《いえ》に泊《と》まる!? みんなと一緒《いっしょ》に?』

「あ、ああ…コナン君《くん》もワシの作《つく》ったゲームにはまってしまってのォ…。じゃあ、まぁ明日《あした》の夕方《ゆうがた》ぐらいには帰《かえ》ると思《おも》うから…」

『あ、ちょっと…』

蘭《らん》が何《なに》か言《い》いかけるが、阿笠博士《あがさはかせ》は気《き》づかないふりをして、ピッと電話《でんわ》を切《き》ってしまった。

「ふう…次《つぎ》は、歩美君《あゆみくん》の家《いえ》か…」

阿笠博士《あがさはかせ》は、子供《こども》たちの保護者《ほごしゃ》にウソをつくことに、罪悪感《ざいあくかん》があった。しかし「頼《たの》むよ、博士《はかせ》…」とコナンから熱心《ねっしん》に頼《たの》まれ、歩美《あゆみ》にも「私達《わたしたち》も白鳥警部《しらとりけいぶ》の敵《かたき》、取《と》りたいもん!」と一生懸命《いっしょうけんめい》な表情《ひょうじょう》でうったえられて、強《つよ》い態度《たいど》に出《で》られなかった。そして、しまいには灰原《はいばら》にまで、

「危険《きけん》なマネ、させないから…」

と説得《せっとく》され、結局《けっきょく》、それぞれの家庭《かてい》に電話《でんわ》を入《い》れることになってしまったのだ。

(——ったく、バレたら大変《たいへん》じゃぞ…)

阿笠博士《あがさはかせ》との電話《でんわ》を終《お》えた蘭《らん》は、「もォ…」とあきれた表情《ひょうじょう》を浮《う》かべた。

「せっかく、コナン君《くん》の大好物《だいこうぶつ》作《つく》ったのに…」

「オメェー、明日《あした》の日曜《にちよう》は全国模試《ぜんこくもし》だろ？　ガキの世話《せわ》せずに、ゆっくり勉強《べんきょう》できて良《よ》かったじゃねーか…」

毛利小五郎《もうりこごろう》は、ちゃぶ台《だい》で日本酒《にほんしゅ》を飲《の》みながら言《い》うと、「それより蘭《らん》ちゅわん、もう一本《いっぽん》♡」と、追加《ついか》の日本酒《にほんしゅ》をねだった。

そのだらしのない表情《ひょうじょう》に、蘭《らん》はじとっと目《め》を細《ほそ》め、

(酔《よ》っ払《ぱら》いの世話《せわ》する方《ほう》が大変《たいへん》なんだけど…)

と、心《こころ》の中《なか》でぼやいた。


高木刑事《たかぎけいじ》の運転《うんてん》する車《くるま》の中《なか》で、灰原《はいばら》は、暗号文《あんごうぶん》について考《かんが》えていた。特《とく》に気《き》になるのは、

「延長戦《えんちょうせん》の始《はじ》まりだ」「出来《でき》のいいストッパーを用意《ようい》しても無駄《むだ》だ」という箇所《かしょ》。近隣《きんりん》の地《ち》図《ず》を確認《かくにん》すると、暗号文《あんごうぶん》でほのめかされている条件《じょうけん》とぴったり一致《いっち》する場所《ばしょ》が、一《いっ》か所《しょ》だけ浮《う》かび上《あ》がってきた。南杯戸駅《みなみはいどえき》だ。

灰原《はいばら》が自分《じぶん》の推理《すいり》について話《はな》すと、高木刑事《たかぎけいじ》は、

「み、南杯戸駅《みなみはいどえき》？」

と、けげんそうに聞《き》き返《かえ》した。

「ええ…。3年前《ねんまえ》の事件《じけん》で爆弾《ばくだん》が仕掛《しか》けられたのは、杯戸町《はいどちょう》の大観覧車《だいかんらんしゃ》と米花中央病院《べいかちゅうおうびょういん》、それらが面《めん》している道《みち》の延長線上《えんちょうせんじょう》で、交差《こうさ》する場所《ばしょ》にその駅《えき》があるわ…」

「でもそれは、延長戦《えんちょうせん》と延長線《えんちょうせん》をこじつけただけで…」

やんわりと反論《はんろん》する高木刑事《たかぎけいじ》を、灰原《はいばら》は「バカね…」と笑《わら》った。

「道《みち》が交差《こうさ》してる側《そば》に駅《えき》があるって事《こと》は、当然《とうぜん》あるはずでしょ？　ストッパーも…」

「そ、そうか！　踏《ふ》み切《き》りの事《こと》ですね!!」

後部座席《こうぶざせき》の光彦《みつひこ》が、ハッとして言《い》う。

ストッパーという言葉《ことば》は、野球《やきゅう》の抑《おさ》え投手《とうしゅ》のことを意味《いみ》するが、そのほかに機械《きかい》などの

停止装置《ていしそうち》という意味《いみ》もある。そして、踏《ふ》み切《き》りは、車《くるま》の流《なが》れを停止《ていし》させるためのストッパーだ。爆弾犯《ばくだんはん》は暗号文《あんごうぶん》の中《なか》で、野球《やきゅう》の「ストッパー」と踏《ふ》み切《き》りの「ストッパー」をかけていたのだ。

高木刑事《たかぎけいじ》は、あっけに取《と》られた表情《ひょうじょう》で灰原《はいばら》を見《み》つめた。

「じゃあまさか、鋼《はがね》のバッターボックスって…」

「鉄《てつ》の箱《はこ》、『電車《でんしゃ》』の事《こと》よ…。しかも、血《ち》のマウンドに登《のぼ》れって事《こと》は…赤《あか》い車体《しゃたい》の東都線《とうとせん》の上《のぼ》り電車《でんしゃ》…」

「た、大変《たいへん》だ…早《はや》くこの事《こと》を佐藤《さとう》さん達《たち》に…」

高木刑事《たかぎけいじ》は携帯電話《けいたいでんわ》を使《つか》うため、あわてて車《くるま》を停《と》めようとした。しかしそれより早《はや》く、灰原《はいばら》の探偵《たんてい》バッジに内蔵《ないぞう》されたトランシーバーから、『大丈夫《だいじょうぶ》！　聞《き》こえてたわ…』と佐《さ》藤刑事《とうけいじ》の声《こえ》が聞《き》こえてきた。

佐藤刑事《さとうけいじ》とコナンもちょうど、暗号文《あんごうぶん》を解読《かいどく》していたところらしい。

『こっちもだいたい、同意見《どういけん》よ！　恐《おそ》らく一《ひと》つ目《め》の爆弾《ばくだん》は、南杯戸駅《みなみはいどえき》から東京《とうきょう》へ向《む》かう東《とう》都線《とせん》の車内《しゃない》！　私《わたし》は警部《けいぶ》に連絡《れんらく》して捜査員《そうさいん》を向《む》かわせるから…高木君《たかぎくん》は爆発物処理班《ばくはつぶつしょりはん》に…』

早口《はやくち》に指示《しじ》を出《だ》すと、佐藤刑事《さとうけいじ》は声《こえ》を低《ひく》くして『急《いそ》いで!!』と続《つづ》けた。

南杯戸駅《みなみはいどえき》に向《む》かう電車《でんしゃ》の中《なか》に、爆弾《ばくだん》が仕掛《しか》けられたかもしれない——そんな情報《じょうほう》が警察《けいさつ》から入《はい》り、南杯戸駅《みなみはいどえき》にいた乗客《じょうきゃく》たちはすみやかに避難《ひなん》を始《はじ》めた。悲鳴《ひめい》をあげながら逃《に》げまどう人《ひと》もいたが、乗客《じょうきゃく》の多《おお》くは、駅員《えきいん》の指示《しじ》にしたがって冷静《れいせい》に行動《こうどう》した。

「皆《みな》さん慌《あわ》てずに！　落《お》ち着《つ》いて避難《ひなん》してくださーい！」

駅員《えきいん》の誘導《ゆうどう》で乗客全員《じょうきゃくぜんいん》が降《お》りると、爆発物処理班《ばくはつぶつしょりはん》は車内《しゃない》のチェックを開始《かいし》した。

「ん？」

一人《ひとり》の警官《けいかん》が、座席《ざせき》の下《した》に、妙《みょう》な箱《はこ》があるのに気付《きづ》く。座席《ざせき》の下《した》を覆《おお》うカバーをガコッと外《はず》すと、カバーの外側《そとがわ》には不審《ふしん》な箱《はこ》が取《と》り付《つ》けられていた。

「こ、これは…」

警官《けいかん》は、爆弾《ばくだん》の設置《せっち》された箱《はこ》を両手《りょうて》に持《も》つと、「爆弾《ばくだん》だ!!　みんな離《はな》れろ!!」と、大声《おおごえ》を張《は》り上《あ》げた。

「な、何《なに》!?」

近《ちか》くにいた警官《けいかん》や爆発物処理班《ばくはつぶつしょりはん》たちに、緊張《きんちょう》が走《はし》る。

と、箱《はこ》から、シュウゥ…と煙《けむり》が出始《ではじ》めた。

「え？」

パァン!!

甲高《かんだか》い音《おと》が鳴《な》り響《ひび》き、警官《けいかん》は肝《きも》をつぶして、その場《ば》にしりもちをついた。

ひらひらと、紙吹雪《かみふぶき》が舞《ま》い降《お》りてくる。

設置《せっち》されていたのは、爆弾《ばくだん》ではなく、箱型《はこがた》の大《おお》きなクラッカーだった。


南杯戸駅《みなみはいどえき》に仕掛《しか》けられた爆弾《ばくだん》が偽物《にせもの》だったというニュースは、すぐさま佐藤刑事《さとうけいじ》や高木《たかぎ》刑事《けいじ》にも知《し》らされた。

電話《でんわ》で連絡《れんらく》を受《う》けた佐藤刑事《さとうけいじ》は、「え？」と目《め》を見開《みひら》いた。

「偽物《にせもの》!?　中身《なかみ》は爆弾《ばくだん》じゃなかったの？」

動揺《どうよう》する佐藤刑事《さとうけいじ》の隣《となり》で、コナンは探偵《たんてい》バッジを通《とお》して灰原《はいばら》に話《はな》しかけた。

「どうやら犯人《はんにん》は、捜査員《そうさいん》がそこに探《さが》しに来《く》る事《こと》を読《よ》んでたようだな…」

『ええ…かなりずる賢《がしこ》そうね、このイタズラ坊主《ぼうず》…。しかも始末《しまつ》の悪《わる》い事《こと》に、目的《もくてき》は金《かね》じゃないようだし…』

「ああ…恐《おそ》らく警視庁《けいしちょう》に対《たい》する復讐《ふくしゅう》だ…」

コナンは真剣《しんけん》な表情《ひょうじょう》でうなずくと、車《くるま》の窓《まど》の外《そと》を流《なが》れる都会《とかい》の景色《けしき》に目《め》をやりながら続《つづ》けた。

「この東京《とうきょう》に住《す》む一千二百万人《いっせんにひゃくまんにん》もの人間《にんげん》を…人質《ひとじち》に取《と》ってのな…」


その後《あと》も次々《つぎつぎ》と、都内《とない》を走《はし》る電車《でんしゃ》の中《なか》から偽物《にせもの》の爆弾《ばくだん》が見《み》つかった。爆弾犯《ばくだんはん》が仕掛《しか》けた偽物《にせもの》は、一《ひと》つだけではなかったのだ。

警視庁《けいしちょう》にいた目暮警部《めぐれけいぶ》は、千葉刑事《ちばけいじ》から電話《でんわ》で報告《ほうこく》を聞《き》いて声《こえ》を荒《あら》らげた。

「なにッ、また偽物《にせもの》だと!?　ちゃんと確《たし》かめたのか!?」

『は、はい…一応《いちおう》、都内《とない》を走《はし》る赤《あか》い車体《しゃたい》の電車《でんしゃ》は、ほぼ調《しら》べたんですが…。見《み》つかる爆発《ばくはつ》物《ぶつ》らしき物《もの》は、いずれもふざけた物《もの》ばかりで…』

と、そこへ、別《べつ》の刑事《けいじ》があわてた様子《ようす》で駆《か》けこんできて、目暮警部《めぐれけいぶ》の近《ちか》くに座《すわ》っていた松本管理官《まつもとかんりかん》に報告《ほうこく》した。

「管理官《かんりかん》！　都内《とない》にある大《おお》きな野球場《やきゅうじょう》は調《しら》べ終《お》えましたが、何《なに》も発見《はっけん》されなかったようです!!」

爆弾犯《ばくだんはん》からの暗号文《あんごうぶん》は「俺《おれ》は剛球豪打《ごうきゅうごうだ》のメジャーリーガー。さあ延長戦《えんちょうせん》の始《はじ》まりだ」という一文《いちぶん》から始《はじ》まり、「試合開始《しあいかいし》」「ストッパー」「逆転《ぎゃくてん》」「試合《しあい》」「マウンド」「バッターボックス」など、野球《やきゅう》にまつわる言葉《ことば》が数多《かずおお》く登場《とうじょう》している。そのため、警察《けいさつ》は野球場《やきゅうじょう》を重点的《じゅうてんてき》に調査《ちょうさ》していたのだが、何《なに》も見《み》つからなかったようだ。

「ウーム…どうやら、野球場《やきゅうじょう》の線《せん》はなさそうだな…」

松本管理官《まつもとかんりかん》はそうつぶやくと、声《こえ》を張《は》り上《あ》げた。

「よーし、都内《とない》の赤《あか》い電車《でんしゃ》は全線停止《ぜんせんていし》！　野球場《やきゅうじょう》に割《わ》り振《ふ》った捜査員《そうさいん》を各駅《かくえき》に回《まわ》して張《は》り込《こ》ませろ!!　一発目《いっぱつめ》の爆破予告《ばくはよこく》の正午《しょうご》まで、まだ5時間《じかん》もある！　我々《われわれ》の裏《うら》をかいてこれから仕掛《しか》けに現《あらわ》れるかもしれんからな!!」

「はっ!!」

歯切《はぎ》れのいい返事《へんじ》をして、刑事《けいじ》があわただしく部屋《へや》を出《で》ていく。

松本管理官《まつもとかんりかん》は、「フン…」と鼻《はな》を鳴《な》らすと、机《つくえ》の上《うえ》で組《く》んだ手《て》の上《うえ》にあごをのせてボヤいた。

「『まだ5時間《じかん》も』か…。本当《ほんとう》は『あと5時間《じかん》しか』と言《い》いたいところだがな…」

目暮警部《めぐれけいぶ》は、深刻《しんこく》そうに眉《まゆ》をひそめて、「ええ…」とうなずいた。


佐藤刑事《さとうけいじ》と高木刑事《たかぎけいじ》は、ファミレスの駐車場《ちゅうしゃじょう》で合流《ごうりゅう》した。

例《れい》の暗号文《あんごうぶん》を改《あらた》めて読《よ》み返《かえ》しながら、佐藤刑事《さとうけいじ》は「変《へん》ねえ…」と首《くび》を傾《かし》げた。

「この文章《ぶんしょう》だと野球場《やきゅうじょう》にも探《さが》しに来《く》ると予想《よそう》できるのに、何《なに》もないなんて…警察《けいさつ》をおちょくるなら、偽物《にせもの》を仕掛《しか》けてでも…」

爆弾犯《ばくだんはん》の目的《もくてき》が、警察《けいさつ》を振《ふ》り回《まわ》すことだとしたら、どうして野球場《やきゅうじょう》に爆弾《ばくだん》を仕掛《しか》けなか

ったのだろうか。佐藤刑事《さとうけいじ》は爆弾犯《ばくだんはん》の行動《こうどう》に疑問《ぎもん》を抱《いだ》いていたが、高木刑事《たかぎけいじ》はあまり気《き》にしていないようで、

「きっと探《さが》しに来《こ》ないと思《おも》ったんですよ…シーズンオフで大《おお》きな試合《しあい》は組《く》まれてませんから…」

と、ねむたそうに言《い》うと、「ふぁ」と小《ちい》さなあくびをした。

「とにかく、これ以上《いじょう》あの子達《こたち》を引《ひ》っ張《ぱ》り回《まわ》すわけにはいかないわね…あまり寝《ね》てないみたいだし…」

そう言《い》って、佐藤刑事《さとうけいじ》はファミレスの店内《てんない》に視線《しせん》を向《む》けた。窓際《まどぎわ》の席《せき》では、コナンたちが朝食《ちょうしょく》を食《た》べている。佐藤刑事《さとうけいじ》や高木刑事《たかぎけいじ》と一緒《いっしょ》に夜通《よどお》し行動《こうどう》していたので、五人《ごにん》ともつかれた表情《ひょうじょう》だ。歩美《あゆみ》にいたっては、テーブルの上《うえ》に突《つ》っ伏《ぷ》して、ねむりこんでしまっている。

「それより、白鳥君《しらとりくん》の容態《ようだい》は聞《き》いてくれた？」

佐藤刑事《さとうけいじ》に聞《き》かれ、高木刑事《たかぎけいじ》は「あ、はい…」とうなずいた。

「白鳥《しらとり》さんに付《つ》き添《そ》ってる由美《ゆみ》さんが、教《おし》えてくれました…。手術《しゅじゅつ》は成功《せいこう》し、今《いま》は意識《いしき》が

回復《かいふく》するのを待《ま》っていると…」

「そう…。よかった…」

佐藤刑事《さとうけいじ》が、ほっとしたように表情《ひょうじょう》をゆるめる。

「あ、それと…」

言《い》いかけて、高木刑事《たかぎけいじ》は口《くち》ごもった。

頭《あたま》をよぎるのは、白鳥刑事《しらとりけいじ》の容態《ようだい》について電話《でんわ》で話《はな》した時《とき》に、由美《ゆみ》から言《い》われた言葉《ことば》だ。


『いーい、高木君《たかぎくん》！　美和子《みわこ》を危《あぶ》ない目《め》に遭《あ》わせちゃダメよ！　今回《こんかい》の爆弾犯《ばくだんはん》が3年前《ねんまえ》に松田君《まつだくん》を爆死《ばくし》させた被疑者《ひぎしゃ》なら、アイツ無茶《むちゃ》しかねないし…。美和子《みわこ》を救《すく》えるのは高木君《たかぎくん》しかいないんだから！』

電話《でんわ》ごしの由美《ゆみ》にそう言《い》われて、高木刑事《たかぎけいじ》は「え？」と不思議《ふしぎ》そうに聞《き》き返《かえ》した。

「どうして僕《ぼく》なんですか？」

『似《に》てるのよ、あなた…。その松田君《まつだくん》に…』

確《たし》かに、現場《げんば》に張《は》りこむためウィッグやサングラスなどで変装《へんそう》をしていた時《とき》に、高木刑《たかぎけい》事《じ》は、由美《ゆみ》や白鳥刑事《しらとりけいじ》から、松田刑事《まつだけいじ》に似《に》ていると言《い》われたことがある。

「あ、でもそれは、あの時変装《ときへんそう》した僕《ぼく》の姿《すがた》がたまたま…」

『もちろん顔《かお》やワイルドさは、彼《かれ》の方《ほう》が5枚《まい》も10枚《まい》も上《うえ》よ！』

ぴしゃりと言《い》われ、高木刑事《たかぎけいじ》は「じゅ、10枚《まい》ですか…」と苦笑《にがわら》いした。

『でも、なんとなく感《かん》じるのよ…匂《にお》いというかハートというか…。美和子《みわこ》も最近《さいきん》やっと、その事《こと》に気《き》づいてきたみたいだけどね…』

由美《ゆみ》には、松田刑事《まつだけいじ》のやさしさに触《ふ》れた思《おも》い出《で》があった。由美《ゆみ》の乗《の》るパトカーが故障《こしょう》してしまった時《とき》に、たまたま居合《いあ》わせた松田刑事《まつだけいじ》がすぐにボンネットを開《あ》け、故障《こしょう》した箇所《かしょ》を特定《とくてい》してあっという間《ま》に修理《しゅうり》してくれたのだ。

一匹狼《いっぴきおおかみ》で物《もの》おじせず、時《とき》には上司《じょうし》の命令《めいれい》にも逆《さか》らって行動《こうどう》していた松田刑事《まつだけいじ》の性格《せいかく》は、一見《いっけん》すると高木刑事《たかぎけいじ》とは正反対《せいはんたい》のようにも見《み》える。しかし、心《こころ》の根底《こんてい》に他人《たにん》へのやさしさや正義感《せいぎかん》が流《なが》れているという点《てん》においては、高木刑事《たかぎけいじ》も松田刑事《まつだけいじ》も同《おな》じだ。だからこそ、由美《ゆみ》は二人《ふたり》のことを似《に》ていると感《かん》じているのだった。

しかし、松田刑事《まつだけいじ》に会《あ》ったことのない高木刑事《たかぎけいじ》は、「似《に》ている」と一方的《いっぽうてき》に言《い》われても今《いま》ひとつピンとこない。佐藤刑事《さとうけいじ》を危険《きけん》な目《め》にあわせたくない気持《きも》ちはもちろんあるが、そのために自分《じぶん》に何《なに》が出来《でき》るのかは、よくわからなかった。


「……」

会話《かいわ》の途中《とちゅう》で沈黙《ちんもく》してしまった高木刑事《たかぎけいじ》を、佐藤刑事《さとうけいじ》は不審《ふしん》そうに見《み》つめた。

「ちょっと、『それと』何《なん》なのよ？」

「あ、いえ…。別《べつ》に大《たい》した事《こと》じゃありませんから…」

高木刑事《たかぎけいじ》がごまかすと、佐藤刑事《さとうけいじ》は自分《じぶん》の車《くるま》の運転席《うんてんせき》に乗《の》り込《こ》みながら高木刑事《たかぎけいじ》に指示《しじ》を出《だ》した。

「じゃあ私《わたし》は捜査《そうさ》を続《つづ》けるから、高木君《たかぎくん》は子供達《こどもたち》を家《いえ》に送《おく》り届《とど》けて、本庁《ほんちょう》に戻《もど》って仮眠《かみん》を取《と》ってから目暮警部《めぐれけいぶ》の手伝《てつだ》いをしてなさい！」

「あ、でも、僕《ぼく》もこのまま捜査《そうさ》を…」

「バカね！　寝不足《ねぶそく》でフラついてる刑事《けいじ》は足手《あしで》まといなだけよ！　わかったわね！」

ぴしゃりと言《い》われ、高木刑事《たかぎけいじ》は気《け》おされて「は、はい…」とうなずいた。

佐藤刑事《さとうけいじ》は車《くるま》を発進《はっしん》させると、サイドミラーごしに、ファミレスの前《まえ》に立《た》っている高木《たかぎ》刑事《けいじ》の姿《すがた》を見《み》つめた。

高木刑事《たかぎけいじ》の背後《はいご》に、鎌《かま》を構《かま》えた死神《しにがみ》の姿《すがた》が見《み》える気《き》がする。いつか高木刑事《たかぎけいじ》も、父親《ちちおや》や松田刑事《まつだけいじ》のように、死神《しにがみ》に連《つ》れられて殉職《じゅんしょく》してしまうかもしれない——そんな予感《よかん》がする。

だからこそ、佐藤刑事《さとうけいじ》はこれ以上《いじょう》、高木刑事《たかぎけいじ》を事件《じけん》に関《かか》わらせないため、本庁《ほんちょう》に戻《もど》るよう指示《しじ》を出《だ》したのだった。

（ダメよ…。連《つ》れて行《い》かせはしないわ…）

佐藤刑事《さとうけいじ》は心《こころ》の中《なか》で、死神《しにがみ》に向《む》かって呼《よ》びかけた。

（もう二度《にど》と…。絶対《ぜったい》に…）


高木刑事《たかぎけいじ》は佐藤刑事《さとうけいじ》の指示《しじ》に従《したが》い、朝食《ちょうしょく》を食《た》べ終《お》えた子供《こども》たちを、それぞれの家《いえ》に送《おく》り届《とど》けることにした。

これから家《いえ》に帰《かえ》されることを知《し》り、光彦《みつひこ》はまっさきに「え〰〰っ？」と不満《ふまん》げな声《こえ》をあげた。

「ボク達《たち》、家《いえ》に連《つ》れ戻《もど》されちゃうんですか？」

「もうちょっとでこの暗号解《あんごうと》けるかもしれないのに〰〰‼」

歩美《あゆみ》が悔《くや》しそうに言《い》い、元太《げんた》もじろりと高木刑事《たかぎけいじ》をにらんだ。

「おまえ、佐藤刑事《さとうけいじ》のいいなりだな！」

「し、仕方《しかた》ないだろ？　彼女《かのじょ》は二《ふた》つ年上《としうえ》で、先輩《せんぱい》なんだから…」

「そんなんで、結婚《けっこん》してからやっていけるの？」

歩美《あゆみ》に突拍子《とっぴょうし》もなく聞《き》かれ、高木刑事《たかぎけいじ》は一気《いっき》に赤面《せきめん》した。結婚《けっこん》どころか、佐藤刑事《さとうけいじ》にはデートをキャンセルされたばかりだ。

「け、結婚《けっこん》って…ぼ、僕《ぼく》はこの前《まえ》、フラれたばっかりで…」

「あれであきらめちゃったんですか？」

「とんだチキン野郎《やろう》だぜ…」

光彦《みつひこ》と元太《げんた》に言《い》われ、高木刑事《たかぎけいじ》は複雑《ふくざつ》そうに顔《かお》をしかめると、

「そ、そりゃー、僕《ぼく》だってあきらめたくはないけど…でもなー…」

と、言葉《ことば》をにごして、うつむいてしまった。

「3年前《ねんまえ》、自分《じぶん》の身《み》を挺《てい》して病院《びょういん》の人達《ひとたち》を救《すく》った松田刑事《まつだけいじ》には、とても敵《かな》いそうにないから…でしょ？」

助手席《じょしゅせき》に座《すわ》るコナンに指摘《してき》され、高木刑事《たかぎけいじ》は「ど、どこでそれを⁉」と、あわてた。

「ミニパトの姉《ねえ》ちゃんに聞《き》いたんだよ！」

「由美《ゆみ》さん、お話《はな》し上手《じょうず》だねって言《い》ったら…」

「感情《かんじょう》を込《こ》めて詳《くわ》しく教《おし》えてくれました！」

元太《げんた》、歩美《あゆみ》、光彦《みつひこ》が順番《じゅんばん》に言《い》う。

由美《ゆみ》は、三年前《さんねんまえ》の事件《じけん》での出来事《できごと》を、子供《こども》たちの前《まえ》で感情《かんじょう》たっぷりに実演《じつえん》してみせたのだった。「じゃあ切《き》るぜ…」「待《ま》って松田君《まつだくん》…ああ松田君《まつだくん》…」と、松田刑事《まつだけいじ》と佐藤刑事《さとうけいじ》になりきって、目《め》に涙《なみだ》まで浮《う》かべる熱《ねつ》の入《い》れようだったが、会話《かいわ》の内容《ないよう》はかなり誇張《こちょう》されていた。

子供《こども》たちにまで松田刑事《まつだけいじ》のことを話《はな》すなんて——由美《ゆみ》の口《くち》の軽《かる》さに、高木刑事《たかぎけいじ》は（——ったく…）と、すっかりあきれ返《かえ》った。

コナンと一緒《いっしょ》に助手席《じょしゅせき》に座《すわ》っていた灰原《はいばら》は、

「まあ、あきらめるのも無理《むり》ないわ…いなくなっちゃった人《ひと》の思《おも》い出《で》は綺麗《きれい》なまま封印《ふういん》されて…一生《いっしょう》、その人《ひと》の心《こころ》に居座《いすわ》ってるっていうから…」

と、ひとりごとのようにつぶやくと、意味深《いみしん》にコナンの方《ほう》を見《み》て「誰《だれ》かさんみたいにね…」と付《つ》け加《くわ》えた。

灰原《はいばら》が言《い》っているのは、蘭《らん》と新一《しんいち》のことだ。長《なが》い間《あいだ》、姿《すがた》をくらまし続《つづ》けている新一《しんいち》のことを、蘭《らん》はけなげに待《ま》ち続《つづ》けている。佐藤刑事《さとうけいじ》が松田刑事《まつだけいじ》を思《おも》い続《つづ》けているように、蘭《らん》も、いなくなった新一《しんいち》との思《おも》い出《で》を、綺麗《きれい》なまま封印《ふういん》している——と灰原《はいばら》は言《い》いたいのだろうが、

（おいおい…オレはまだ死《し》んでねぇよ…）

コナンは心外《しんがい》とばかりに、心《こころ》の中《なか》で突《つ》っ込《こ》みを入《い》れた。

その頃《ころ》、蘭《らん》は園子《そのこ》と一緒《いっしょ》に、帝丹高校《ていたんこうこう》で模試《もし》を受《う》けていた。

チャイムが鳴《な》り、休《やす》み時間《じかん》になって、生徒《せいと》たちがガヤガヤと廊下《ろうか》に出《で》てくる。

蘭《らん》は、後《うし》ろの席《せき》を振《ふ》り返《かえ》り、ぐでっと机《つくえ》に突《つ》っ伏《ぷ》している園子《そのこ》に、

「どうだった？　今《いま》の数学《すうがく》…」

と、声《こえ》をかけた。

「イケてねぇ〜って感《かん》じ…蘭《らん》と違《ちが》って、私《わたし》には強力《きょうりょく》な助《すけ》っ人《と》なんていないしね…」

「助《すけ》っ人《と》？」

「とぼけても無駄《むだ》よ！　試験中《しけんちゅう》に、空《あ》いた新一君《しんいちくん》の席《せき》、困《こま》った顔《かお》でチラチラ見《み》てたじゃない！『助《たす》けて新一《しんいち》…この微分積分《びぶんせきぶん》がどうしても理解《りかい》できないの』って…」

園子《そのこ》にからかわれ、蘭《らん》はあわてて否定《ひてい》した。

「違《ちが》うわよ！　新一《しんいち》の席《せき》を見《み》てたのは…」

「見《み》てたのは…？」

「あ、だから…」

蘭《らん》は、気《き》まずそうに口《くち》ごもった。

新一《しんいち》の席《せき》を見《み》ていたのは、助《たす》けを求《もと》めていたわけではなく、いつもそこに座《すわ》っていた新《しん》一《いち》の姿《すがた》を思《おも》い出《だ》していたからだ。でも、そんなこと、恥《は》ずかしくてとても園子《そのこ》には言《い》えない。

「それは…その…」

上手《うま》い言《い》い訳《わけ》が思《おも》いつかず、蘭《らん》はボンッと頭《あたま》の中《なか》が沸騰《ふっとう》したようになって、赤面《せきめん》してしまった。

「あら真《ま》っ赤《か》♡ 試験中《しけんちゅう》に赤《あか》なんて不吉《ふきつ》よ〜〜〜！」

園子《そのこ》が楽《たの》しそうに言《い》い、蘭《らん》はあわてて席《せき》から立《た》ち上《あ》がって、窓《まど》の外《そと》を指《ゆび》さすと、

「あ、赤《あか》っていえば、朝《あさ》からパトカーのサイレンよく聞《き》くね…」

と、ぎこちなく話題《わだい》をそらした。

「そうねえ…」

ファンファンファンファン……

パトカーは、サイレンを鳴《な》らしながら、帝丹高校《ていたんこうこう》の前《まえ》の道路《どうろ》を通《とお》り過《す》ぎていく。

「何《なに》かあったのかなぁ？」

まさか爆弾事件《ばくだんじけん》が起《お》きているとは知《し》らず、蘭《らん》は不思議《ふしぎ》そうに首《くび》を傾《かし》げた。


コナンは、高木刑事《たかぎけいじ》の運転《うんてん》する車《くるま》の中《なか》で、改《あらた》めて暗号文《あんごうぶん》を読《よ》み返《かえ》していた。

「赤《あか》…赤《あか》…赤《あか》…」

暗号文《あんごうぶん》を印刷《いんさつ》した紙《かみ》を見《み》ながら、繰《く》り返《かえ》しつぶやいていると、灰原《はいばら》が不思議《ふしぎ》そうにコナンの手元《てもと》をのぞきこんだ。

「赤《あか》がどうかしたの？」

「何《なに》か引《ひ》っ掛《か》かるんだよ、この『血塗《ちぬ》られたマウンドに登《のぼ》れ』っていうのが…」

そう言《い》うと、コナンは（まてよ…）と、ふと話《はな》すのを止《や》めた。

（3年前《ねんまえ》の事件《じけん》と同《おな》じだとすると、一《ひと》つ目《め》の爆弾《ばくだん》は、警察《けいさつ》を誘《さそ》い出《だ》すためにわかりやすい場所《ばしょ》に仕掛《しか》けているはず…。もっと単純《たんじゅん》に考《かんが》えるんだ…単純《たんじゅん》に…）

あせる気持《きも》ちをおさえ、もう一度《いちど》、暗号文《あんごうぶん》を確認《かくにん》する。気《き》にかかるのはやはり、「血塗《ちぬ》られたマウンドに、貴様《きさま》ら警察《けいさつ》が登《のぼ》るのを鋼《はがね》のバッターボックスで待《ま》っている」という一文《いちぶん》だ。

(赤《あか》…登《のぼ》る…鉄《てつ》の…箱《はこ》…)

後部座席《こうぶざせき》に座《すわ》る光彦《みつひこ》と歩美《あゆみ》、元太《げんた》も、なんとか暗号文《あんごうぶん》を解読《かいどく》しようと、一生懸命《いっしょうけんめい》に、赤《あか》い色《いろ》から連想出来《れんそうでき》るものを探《さが》していた。

「赤《あか》といえばポストに消防車《しょうぼうしゃ》…」と、光彦《みつひこ》。

「赤《あか》オニと赤《あか》ずきんちゃんと…」と、歩美《あゆみ》。

「トマトだろ、イチゴだろ…」と、元太《げんた》。

歩美《あゆみ》はふと窓《まど》の外《そと》に視線《しせん》を向《む》けた。

「あと赤《あか》といえば…アレもそうだよね…」

「え?」

つられて窓《まど》の外《そと》を見《み》て、コナンはハッとした。そこにあったのは、真《ま》っ赤《か》に塗《ぬ》られた電波塔《でんぱとう》――東都《とうと》タワーだ。

（そ、そうか…東都《とうと》タワーのエレベーター!!）

コナンの頭《あたま》の中《なか》で、「赤《あか》」「登《のぼ》る」「鉄《てつ》の箱《はこ》」など、暗号文《あんごうぶん》の中《なか》にあった断片的《だんぺんてき》な単語《たんご》が、すべて一《ひと》つにつながった。「血塗《ちぬ》られたマウンドに登《のぼ》れ」というのは、赤《あか》く塗《ぬ》られた東都《とうと》タワーに登《のぼ》れという意味《いみ》。そして、「鉄《てつ》の箱《はこ》」というのは、東都《とうと》タワーのエレベーターのことを指《さ》していたのだ。


東都《とうと》タワーのエレベーターに爆弾《ばくだん》が仕掛《しか》けられている、というコナンの推理《すいり》を聞《き》いた高木刑事《たかぎけいじ》は、すぐさま現場《げんば》に向《む》かった。到着《とうちゃく》すると、周辺《しゅうへん》はすでに、避難《ひなん》する人々《ひとびと》や駆《か》けつけたTV《テレビ》局《きょく》のクルーたちで騒然《そうぜん》としていた。

東都《とうと》タワーの中層階《ちゅうそうかい》からは、黒《くろ》い煙《けむり》が上《あ》がっている。居合《いあ》わせた人《ひと》に話《はなし》を聞《き》き、状況《じょうきょう》を把握《はあく》すると、高木刑事《たかぎけいじ》は佐藤刑事《さとうけいじ》に電話《でんわ》で連絡《れんらく》を入《い》れた。

『え？　東都《とうと》タワーに爆弾《ばくだん》が!?』

「は、はい。多分《たぶん》、間違《まちが》いありません！　僕《ぼく》がここに到着《とうちゃく》する直前《ちょくぜん》に小《ちい》さな爆発《ばくはつ》が起《お》きて、エレベーターが止《と》まったそうですから…。恐《おそ》らく爆弾《ばくだん》の場所《ばしょ》が警察《けいさつ》にバレたと思《おも》って、被《ひ》疑者《ぎしゃ》がリモコンで…」

高木刑事《たかぎけいじ》が言《い》うのを聞《き》いて、佐藤刑事《さとうけいじ》は息《いき》をのんだ。

(同《おな》じ…あの時《とき》と…)

三年前《さんねんまえ》の事件《じけん》でも、警察《けいさつ》が到着《とうちゃく》する直前《ちょくぜん》に観覧車《かんらんしゃ》の制御盤《せいぎょばん》が爆発《ばくはつ》して、観覧車《かんらんしゃ》が止《と》まってしまった。今回《こんかい》の状況《じょうきょう》と、ほとんど同《おな》じだ。

「じゃあ僕《ぼく》は、止《と》まったエレベーターの所《ところ》へ…」

『ダメよ!!』

佐藤刑事《さとうけいじ》は強《つよ》い口調《くちょう》で、高木刑事《たかぎけいじ》の言葉《ことば》をさえぎった。高木刑事《たかぎけいじ》を爆弾《ばくだん》のもとへ行《い》かせたら、松田刑事《まつだけいじ》の時《とき》と同《おな》じように、殉職《じゅんしょく》してしまうかもしれない。

『その爆弾《ばくだん》は、私達警察《わたしたちけいさつ》を誘《さそ》い込《こ》むための罠《わな》だわ!!　5分《ふん》で着《つ》くから、私《わたし》が行《い》くまでそこで待機《たいき》してなさい!!　わかった!?』

佐藤刑事《さとうけいじ》の剣幕《けんまく》に押《お》され、高木刑事《たかぎけいじ》は「は、はい…」とうなずいた。

その時《とき》、避難《ひなん》する人《ひと》たちの会話《かいわ》が、高木刑事《たかぎけいじ》の耳《みみ》に飛《と》びこんできた。

「おい、マジかよ？　エレベーターに誰《だれ》か閉《と》じ込《こ》められてるって…」

「子供《こども》らしいぜ！　ついてねぇよな…」

高木刑事《たかぎけいじ》は「え？」と驚《おどろ》いて振《ふ》り返《かえ》った。子供《こども》がエレベーターの中《なか》に取《と》り残《のこ》されているのなら、一刻《いっこく》も早《はや》く助《たす》け出《だ》さなければならない。佐藤刑事《さとうけいじ》の到着《とうちゃく》を待《ま》っている余裕《よゆう》はないだろう。

「あ、あの…子供《こども》がエレベーターに…」

おずおずと言《い》う高木刑事《たかぎけいじ》に、佐藤刑事《さとうけいじ》は『落《お》ち着《つ》いて！』と力強《ちからづよ》く声《こえ》をかけた。

『予告《よこく》の時間《じかん》までまだ2時間以上《じかんいじょう》あるから…』

「し、しかし、すぐに行《い》って状況《じょうきょう》を見《み》てみないと…」

『大丈夫《だいじょうぶ》！　私《わたし》がなんとかするから…。私《わたし》がその子《こ》を絶対助《ぜったいたす》けるから…』

「で、でも…」

高木刑事《たかぎけいじ》の頭《あたま》をよぎるのは、由美《ゆみ》に言《い》われた言葉《ことば》だ。

――いーい、美和子《みわこ》を危《あぶ》ない目《め》に遭《あ》わせちゃダメよ!!　アイツ無茶《むちゃ》しかねないし…。

『お願《ねが》い、高木君《たかぎくん》…。行《い》かないで!!』

佐藤刑事《さとうけいじ》の声《こえ》は必死《ひっし》だった。

しかし――

「イヤです！」

高木刑事《たかぎけいじ》はきっぱりと言《い》って、上司《じょうし》である佐藤刑事《さとうけいじ》の指示《しじ》に逆《さか》らった。

『た、高木君《たかぎくん》⁉』

佐藤刑事《さとうけいじ》があわてた声《こえ》を出《だ》すが、高木刑事《たかぎけいじ》はプツッと電話《でんわ》を切《き》ると、

「じゃあ君達《きみたち》は、車《くるま》の中《なか》で大人《おとな》しく待《ま》ってるんだよ‼」

と、コナンたちに言《い》い残《のこ》し、東都《とうと》タワーの中《なか》に向《む》かって走《はし》っていった。佐藤刑事《さとうけいじ》を危険《きけん》な目《め》にあわせないために、そして、エレベーターの中《なか》に取《と》り残《のこ》された子供《こども》を救《すく》うために、高木刑事《たかぎけいじ》は今《いま》すぐに行動《こうどう》することを選《えら》んだのだ。

高木刑事《たかぎけいじ》が走《はし》って行《い》くと、コナンはガチャッと助手席《じょしゅせき》のドアを開《あ》けながら、

「灰原《はいばら》…みんなを頼《たの》む…」

と、隣《となり》に座《すわ》っていた灰原《はいばら》に声《こえ》をかけた。

灰原《はいばら》が「え？」と聞《き》き返《かえ》すが、コナンはそのまま車《くるま》の外《そと》に出《で》ると、ドアを閉《し》めながら、

後部座席《こうぶざせき》の歩美《あゆみ》たちに向《む》かって声《こえ》をかけた。

「んじゃ、ちょっと様子見《ようすみ》て来《く》っから、変《へん》な奴《やつ》がこの車《くるま》に近《ちか》づかないように見張《みは》ってるんだぞ!!」

「えー、コナン君《くん》も行《い》っちゃうの？」

歩美《あゆみ》が、不安《ふあん》そうな声《こえ》をあげる。

「大丈夫《だいじょうぶ》！　その位《くらい》、オレがいなくたって…オメーら探偵団《たんていだん》ならできるだろ？」

そう励《はげ》ますコナンの口調《くちょう》は妙《みょう》に落《お》ち着《つ》いていて、表情《ひょうじょう》もどこか普段《ふだん》より改《あらた》まって見《み》えた。

まるで、もう二度《にど》と会《あ》えなくなってしまうかのようだ。

「え、ええ…」

「任《まか》せとけ！」

光彦《みつひこ》と元太《げんた》は、口々《くちぐち》にうなずきながらも、コナンの様子《ようす》がいつもと違《ちが》うことを感《かん》じ取《と》って、とまどった表情《ひょうじょう》を浮《う》かべていた。

東都《とうと》タワーで爆発《ばくはつ》があったという報告《ほうこく》を受《う》け、警視庁《けいしちょう》はただちに各局《かっきょく》へ連絡《れんらく》を入《い》れた。

『至急至急《しきゅうしきゅう》、警視庁《けいしちょう》から各局《かっきょく》！　港区東都《みなとくとうと》タワーに爆弾《ばくだん》が仕掛《しか》けられた可能性《かのうせい》が高《たか》い！　各局《かっきょく》に当《あ》たっては現場《げんば》に急行《きゅうこう》し、東都《とうと》タワーの立《た》ち入《い》り禁止《きんし》及《およ》び付近住民《ふきんじゅうみん》の避難《ひなん》の措置《そち》を取《と》れ！』

ファンファンとサイレンを鳴《な》らしながら、パトカーが続々《ぞくぞく》と東都《とうと》タワーに集《あつ》まってくる。

その頃《ころ》、高木刑事《たかぎけいじ》は、中層階《ちゅうそうかい》の展望台《てんぼうだい》に到着《とうちゃく》していた。

「こ、これですか…。止《と》まったエレベーターは…」

「ええ…。最上階《さいじょうかい》から下《お》りて来《き》て、この真《ま》ん中《なか》の展望台《てんぼうだい》に着《つ》く寸前《すんぜん》で止《と》まってしまったんです…乗《の》っていたのは子供一人《こどもひとり》なんですが、出《で》て来《く》るように母親《ははおや》が言《い》っても、怖《こわ》がっちゃって…」

スタッフが、困《こま》りきった表情《ひょうじょう》で高木刑事《たかぎけいじ》に説明《せつめい》する。

見《み》ると確《たし》かに、エレベーターは、扉《とびら》の上枠《うわわく》から三十《さんじっ》センチほど下《さ》がったあたりで止《と》まっていた。エレベーターの扉《とびら》は全開《ぜんかい》になったまま停止《ていし》しており、子供《こども》の母親《ははおや》が、扉《とびら》の上枠《うわわく》とエレベーターの床《ゆか》との間《あいだ》に出来《でき》た隙間《すきま》から中《なか》をのぞきこんで、「朱美《あけみ》！　朱美《あけみ》！」と取《と》り残《のこ》された子供《こども》に向《む》かって必死《ひっし》に呼《よ》びかけている。

「何《なに》してるの!?　早《はや》くこっちへ来《き》なさい!!」

しかし、子供《こども》は「うっ、うっ」としゃくりあげるばかりで、床《ゆか》の上《うえ》にへたりこんだまま動《うご》こうとしない。

「うーん…。この幅《はば》じゃ、大人《おとな》が入《はい》るのは無理《むり》そうですね…」

扉《とびら》の上枠《うわわく》とエレベーターの床《ゆか》との間《あいだ》には、子供《こども》がぎりぎり通《とお》り抜《ぬ》けられるくらいの隙間《すきま》しかなく、大人《おとな》が出入《でい》りするのは到底無理《とうていむり》だ。

どうしたものかと途方《とほう》に暮《く》れる高木刑事《たかぎけいじ》に、「じゃあ、ボクを持《も》ち上《あ》げて!」とコナンが横《よこ》から声《こえ》をかけた。

「子供《こども》なら入《はい》れるでしょ?」

車《くるま》の中《なか》で待《ま》っているはずのコナンがここにいるのを見《み》て、高木刑事《たかぎけいじ》は「コ、コナン君《くん》!?」と驚《おどろ》いてしまった。

東都《とうと》タワーで爆発《ばくはつ》が起《お》きたことを知《し》ったTV局《テレビきょく》のクルーたちは、続々《ぞくぞく》と現場《げんば》にやってきて、生中継《なまちゅうけい》で事件《じけん》について報《ほう》じ始《はじ》めた。

「繰《く》り返《かえ》します！　依然《いぜん》、少女《しょうじょ》は突然《とつぜん》止《と》まったエレベーターに取《と》り残《のこ》されたままになっております！　東都《とうと》タワー生中継《なまちゅうけい》のこのハプニングに、我々《われわれ》TV《テレビ》クルーも戸惑《とまど》うばかりで…。えー―、たった今入《いまはい》った情報《じょうほう》によりますと、子供《こども》を救出《きゅうしゅつ》するために警察官一名《けいさつかんいちめい》がエレベーターに乗《の》り込《こ》んだ模様《もよう》で…」

東都《とうと》タワーをバックに、女性《じょせい》アナウンサーが緊迫《きんぱく》した表情《ひょうじょう》で、現場《げんば》の様子《ようす》を伝《つた》える。

と、中継《ちゅうけい》の途中《とちゅう》でTV《テレビ》クルーの一人《ひとり》が女性《じょせい》アナウンサーのもとへと寄《よ》ってきて、何《なに》ごとか耳打《みみう》ちした。それを聞《き》いた女性《じょせい》アナウンサーは、さっと表情《ひょうじょう》を変《か》えた。

「え？　入《はい》ったのは子供《こども》？　まさか…」

爆弾犯《ばくだんはん》は、現場《げんば》の近《ちか》くで東都《とうと》タワーの様子《ようす》をうかがいながら、同時《どうじ》にニュース番組《ばんぐみ》もチェックしていた。手《て》には、爆弾《ばくだん》の起爆装置《きばくそうち》となる携帯電話《けいたいでんわ》が握《にぎ》られている。

「……」

警察官一人《けいさつかんひとり》と子供《こども》がエレベーターに乗《の》りこんだことを知《し》ると、爆弾犯《ばくだんはん》は無言《むごん》で、携帯電話《けいたいでんわ》の起爆装置《きばくそうち》を作動《さどう》させた。


コナンは高木刑事《たかぎけいじ》に抱《だ》きかかえてもらい、子供《こども》のいるエレベーターの中《なか》へと入《はい》った。

「ホラ、大丈夫《だいじょうぶ》！　怖《こわ》くないだろ？　さぁ、ママの所《ところ》へ帰《かえ》ろうぜ！」

コナンに明《あか》るく声《こえ》をかけられ、おびえていた子供《こども》はようやく泣《な》き止《や》んだ。「う、うん…」

とうなずき、ゆっくりと、扉《とびら》の方《ほう》へ移動《いどう》していく。

ようやくエレベーターの外《そと》に出《で》てきた子供《こども》を、高木刑事《たかぎけいじ》は「よーし、いい子《こ》だ！」とあやしながら抱《だ》きかかえ、母親《ははおや》に手渡《てわた》した。子供《こども》は母親《ははおや》にぎゅっとしがみつき、泣《な》き始《はじ》めてしまう。

無事《ぶじ》に子供《こども》を保護《ほご》することが出来《でき》て、高木刑事《たかぎけいじ》がほっと胸《むね》をなでおろした、次《つぎ》の瞬間《しゅんかん》
――

ボン!!

上層階《じょうそうかい》の方《ほう》から爆発音《ばくはつおん》がした。爆弾犯《ばくだんはん》が、携帯電話《けいたいでんわ》を使《つか》って起爆装置《きばくそうち》を作動《さどう》させたのだ。爆弾《ばくだん》はエレベーターを吊《つ》るしているロープに仕掛《しか》けられていた。爆発《ばくはつ》によってロープが切断《せつだん》され、エレベーターは、ゴォォォ……とすごい勢《いきお》いで落下《らっか》し始《はじ》める。中《なか》にいたコナンは、たまらず「わっ」とバランスを崩《くず》した。

高木刑事《たかぎけいじ》は「え？」と驚《おどろ》いて振《ふ》り返《かえ》り、逃《に》げ遅《おく》れたコナンを助《たす》けようと腕《うで》を伸《の》ばした。

しかし、落下《らっか》の速度《そくど》が速《はや》すぎて、間《ま》に合《あ》わない。

「くそっ!!」

高木刑事《たかぎけいじ》はとっさに、落《お》ちていくエレベーターの中《なか》へと飛《と》びこんだ。

ガコン！

非常停止装置《ひじょうていしそうち》が作動《さどう》してエレベーターが止《と》まると、高木刑事《たかぎけいじ》は佐藤刑事《さとうけいじ》に電話《でんわ》をかけて状況《じょうきょう》を報告《ほうこく》した。

取《と》り残《のこ》されたコナンを助《たす》けようとして、高木刑事《たかぎけいじ》までエレベーターの中《なか》に飛《と》びこんでしまった――と聞《き》いて、佐藤刑事《さとうけいじ》はあきれ返《かえ》った。

『で？　カッコつけて出《で》て行《い》ったくせに、コナン君《くん》とエレベーターに閉《と》じこめられちゃったってわけね…』

「す、すみません…」

高木刑事《たかぎけいじ》が、面目《めんぼく》なさそうに謝《あやま》る。

『それより本当《ほんとう》に、そのエレベーターに爆弾《ばくだん》は仕掛《しか》けられてないのね？』

「は、はい…中《なか》には…」

とりあえず見《み》える範囲《はんい》には、爆弾《ばくだん》らしきものは見当《みあ》たらない。

エレベーターの外側《そとがわ》にも爆弾《ばくだん》が仕掛《しか》けられていないか確認《かくにん》するため、高木刑事《たかぎけいじ》はコナンを肩車《かたぐるま》した。パカッと天井《てんじょう》の板《いた》を外《はず》して、エレベーターの上《うえ》に登《のぼ》ったコナンは、そこに不審《ふしん》な箱《はこ》が置《お》かれていることに気《き》が付《つ》いた。

腕時計型《うでどけいがた》ライトの明《あ》かりで照《て》らし、中身《なかみ》を確認《かくにん》する。カウントダウンの表示《ひょうじ》された液晶《えきしょう》パネルと、入《い》り組《く》んだ配線《はいせん》の色《いろ》の違《ちが》うコード、そして円筒状《えんとうじょう》の大《おお》きな容器《ようき》――爆弾《ばくだん》だ。よく見《み》ると、配線《はいせん》の中《なか》には、水銀《すいぎん》に金属《きんぞく》のボールを浮《う》かべたガラスの装置《そうち》が組《く》みこまれていた。起爆装置《きばくそうち》には、水銀《すいぎん》レバーが使《つか》われているらしい。

エレベーターの中《なか》からは、佐藤刑事《さとうけいじ》と高木刑事《たかぎけいじ》が電話《でんわ》で話《はな》すのが聞《き》こえてくる。

『そこ、今《いま》どの辺《へん》かわかる？』

「た、多分《たぶん》…ロープが全部《ぜんぶ》切《き》れて、非常停止装置《ひじょうていしそうち》で真《ま》ん中《なか》の展望台《てんぼうだい》と一階《いっかい》の中間《ちゅうかん》ぐらいで止《と》まっているかと…こりゃー僕《ぼく》も天井《てんじょう》に登《のぼ》ってレスキュー隊《たい》を待《ま》つしか…」

「ダメだよ、天井《てんじょう》に登《のぼ》っちゃ!!」

コナンはあわてて口《くち》を挟《はさ》んだ。

「水銀《すいぎん》レバーが作動《さどう》しちまう!!」

「す、水銀《すいぎん》レバー？　何《なん》だい、それ？」

高木刑事《たかぎけいじ》が不思議《ふしぎ》そうに聞《き》き返《かえ》すのを聞《き》いて、佐藤刑事《さとうけいじ》は電話《でんわ》の向《む》こうで（え？）と血相《けっそう》を変《か》えた。松田刑事《まつだけいじ》が殉職《じゅんしょく》した時《とき》の爆弾《ばくだん》にも、水銀《すいぎん》レバーが仕掛《しか》けられていたはずだ。

「起爆装置《きばくそうち》の一部《いちぶ》さ…」

緊迫《きんぱく》した様子《ようす》で言《い》いながら、コナンは腕時計型《うでどけいがた》ライトの明《あ》かりを液晶《えきしょう》パネルに向《む》けた。

「1：40：37」と、カウントダウンが刻《きざ》まれていてる。

「このエレベーターどころか、東都《とうと》タワーごと吹《ふ》っ飛《と》んじまうような、どでかい爆弾《ばくだん》のね…」


「ば、爆弾《ばくだん》!? このエレベーターの天井《てんじょう》に!?」

度肝《どぎも》を抜《ぬ》かれて叫《さけ》ぶ高木刑事《たかぎけいじ》に、コナンは「うん！」とあっさりうなずいた。

「ボク、これとよく似《に》た爆弾《ばくだん》をTV《テレビ》で観《み》た事《こと》あるんだ！ 片方《かたほう》の液体《えきたい》だけならなんともないけど、もう片方《かたほう》と混《ま》ざるとすごく強《つよ》い爆弾《ばくだん》になるって言《い》ってたよ！」

「だ、だったらなおさらレスキュー隊《たい》に来《き》てもらった方《ほう》が…」

「言《い》ったでしょ？ 水銀《すいぎん》レバーが仕掛《しか》けられてるって…。多分《たぶん》、さっきエレベーターが止《と》まったショックで、スイッチが入《はい》ったんだよ…。少《すこ》しでも揺《ゆ》れたら作動《さどう》しちゃう起爆装置《きばくそうち》のスイッチが…。だから高木刑事《たかぎけいじ》がこの天井《てんじょう》に登《のぼ》ったり、ロープで降《お》りて来《き》たレスキュー隊《たい》がここに着地《ちゃくち》したりした時《とき》に揺《ゆ》れたらドカーンだよ！」

「そ、そんなに…そんなにすごいのかい？　水銀《すいぎん》レバーって…」

高木刑事《たかぎけいじ》とコナンの会話《かいわ》を聞《き》きながら、佐藤刑事《さとうけいじ》は、三年前《さんねんまえ》のことを思《おも》い出《だ》していた。

（水銀《すいぎん》レバー…）

あの時《とき》、松田刑事《まつだけいじ》は爆弾《ばくだん》に仕掛《しか》けられた水銀《すいぎん》レバーを発見《はっけん》して、

――わずかな振動《しんどう》でも中《なか》の玉《たま》が転《ころ》がり、玉《たま》が線《せん》に触《ふ》れたらオダブツよ…。

と、佐藤刑事《さとうけいじ》に説明《せつめい》してくれた。それが、今回《こんかい》の爆弾《ばくだん》にも仕掛《しか》けられているという。

（やっぱりそうだ！　これを仕掛《しか》けたのは3年前《ねんまえ》の爆弾犯《ばくだんはん》に間違《まちが》いない!!）

そう確信《かくしん》すると同時《どうじ》に、佐藤刑事《さとうけいじ》の表情《ひょうじょう》に、恐怖《きょうふ》の色《いろ》が浮《う》かんだ。

三年前《さんねんまえ》、爆弾犯《ばくだんはん》は液晶《えきしょう》パネルにメッセージを表示《ひょうじ》させて、ほかの場所《ばしょ》にも爆弾《ばくだん》が仕掛《しか》けられていることをほのめかした。そして、その場所《ばしょ》のヒントを爆発《ばくはつ》の三秒前《さんびょうまえ》に表示《ひょうじ》させることで、観覧車《かんらんしゃ》に仕掛《しか》けた爆弾《ばくだん》を警察《けいさつ》が解体《かいたい》できないよう仕向《しむ》けたのだ。

（じゃあまさか…まさか…）

もし爆弾犯《ばくだんはん》が、今回《こんかい》も同《おな》じことをたくらんでいるとしたら――高木刑事《たかぎけいじ》も、松田刑事《まつだけいじ》と同《おな》じ道《みち》をたどってしまうかもしれない。

水銀《すいぎん》レバーが仕掛《しか》けられた爆弾《ばくだん》は、少《すこ》しの振動《しんどう》で起爆《きばく》する。エレベーターを動《うご》かしたり、大人《おとな》がエレベーターの天井《てんじょう》に登《のぼ》ったりしたら、即座《そくざ》に爆発《ばくはつ》してしまうだろう。

それならば、なんとか爆弾《ばくだん》に振動《しんどう》を与《あた》えずに、高木刑事《たかぎけいじ》とコナンがエレベーターから脱出《だっしゅつ》する方法《ほうほう》はないだろうか——考《かんが》えた末《すえ》、高木刑事《たかぎけいじ》は、

「だったら、上《うえ》のエレベーター口《ぐち》からロープを降《お》ろしてもらって…」

と、提案《ていあん》した。

「なんかそれもダメみたいだよ…。爆弾《ばくだん》のそばに盗聴器《とうちょうき》が仕掛《しか》けられてる…。きっと爆弾《ばくだん》犯《はん》はどこかで聞《き》いていて、ボク達《たち》がここを離《はな》れて声《こえ》が聞《き》こえなくなったら爆発《ばくはつ》させる気《き》なんだよ…」

「じゃあどのみち八方《はっぽう》ふさがりってわけか…」

「いや…手《て》はもう一《ひと》つ残《のこ》ってるよ…」

そう言《い》うと、コナンは明《あか》るく高木刑事《たかぎけいじ》の方《ほう》を振《ふ》り返《かえ》った。

「ボクがこの爆弾《ばくだん》を解体《かいたい》するんだよ！　上《うえ》から爆弾処理《ばくだんしょり》の道具《どうぐ》を降《お》ろしてもらってね！」

エレベーターに強力《きょうりょく》な爆弾《ばくだん》が仕掛《しか》けられている——という高木刑事《たかぎけいじ》からの連絡《れんらく》を受《う》け、警察《けいさつ》はただちに、付近《ふきん》の住民《じゅうみん》に向《む》けて避難命令《ひなんめいれい》を出《だ》した。

「繰《く》り返《かえ》します…東都《とうと》タワー付近《ふきん》にいる住民《じゅうみん》は、警察官《けいさつかん》の指示《しじ》に従《したが》って速《すみ》やかに避難《ひなん》してください！」

ヘリコプターが、避難指示《ひなんしじ》をアナウンスしながら上空《じょうくう》を飛《と》び回《まわ》る。

東都《とうと》タワーに到着《とうちゃく》した佐藤刑事《さとうけいじ》は、高木刑事《たかぎけいじ》の車《くるま》の中《なか》にいた少年探偵団《しょうねんたんていだん》たちを見《み》つけると、今《いま》すぐ避難《ひなん》するよう告《つ》げた。

避難指示《ひなんしじ》が出《で》ていることを知《し》った光彦《みつひこ》は、「ええっ⁉」と目《め》を丸《まる》くし、元太《げんた》は「逃《に》げるのかよ？」と口《くち》をとがらせた。

歩美《あゆみ》も、東都《とうと》タワーの方《ほう》を見《み》やりながら、

「コナン君《くん》と高木刑事《たかぎけいじ》が、まだあの中《なか》にいるのに？」

と不安《ふあん》そうな表情《ひょうじょう》だ。

「心配《しんぱい》しないで、あの二人《ふたり》もこっちに向《む》かってるところだから…」

佐藤刑事《さとうけいじ》は、やさしく言《い》って子供《こども》たちをなだめると、「千葉君《ちばくん》！　子供達《こどもたち》を安全《あんぜん》な場所《ばしょ》へ！」と、近《ちか》くにいた千葉刑事《ちばけいじ》に指示《しじ》を出《だ》した。

千葉刑事《ちばけいじ》は「はい！」と返事《へんじ》をして、車《くるま》を動《うご》かすため運転席《うんてんせき》に乗《の》りこんだ。

「あの二人《ふたり》に爆弾《ばくだん》を解体《かいたい》させる気《き》ね…」

助手席《じょしゅせき》にいた灰原《はいばら》が、ぽつりとつぶやく。その視線《しせん》の先《さき》には、東都《とうと》タワーの入《い》り口《ぐち》で待機《たいき》している爆発物処理班《ばくはつぶつしょりはん》の姿《すがた》があった。

「え？」

「爆発物処理班《ばくはつぶつしょりはん》が中《なか》に入《はい》らずに連絡《れんらく》を待《ま》っているのは、そういう事《こと》でしょ？」

「大丈夫《だいじょうぶ》！　爆弾《ばくだん》の構造《こうぞう》は3年前《ねんまえ》に米花中央病院《べいかちゅうおうびょういん》に仕掛《しか》けられた物《もの》とほぼ一致《いっち》したから、あの二人《ふたり》ならなんとかやってくれるわよ！」

佐藤刑事《さとうけいじ》が、車《くるま》の外《そと》から声《こえ》をかけて励《はげ》ます。

灰原《はいばら》は「ええ、そうね…」うなずくと、

（3年前《ねんまえ》のように…悪魔《あくま》の声《こえ》に耳《みみ》を傾《かたむ》けなきゃね…）

と心《こころ》の中《なか》で付《つ》け加《くわ》えた。


防護服《ぼうごふく》を着《き》た機動隊員《きどうたいいん》たちは、コナンに爆弾《ばくだん》を解体《かいたい》する道具《どうぐ》を渡《わた》すため、東都《とうと》タワーの中層階《ちゅうそうかい》にある展望台《てんぼうだい》のフロアへと向《む》かった。

展望台《てんぼうだい》フロアのエレベーターの扉《とびら》を開《あ》け、下《した》の方《ほう》で止《と》まったエレベーターの天井《てんじょう》の上《うえ》にいるコナンの姿《すがた》を確認《かくにん》すると、ロープをゆっくりと降《お》ろしていく。ロープの先《さき》には、爆弾《ばくだん》処理《しょり》の道具《どうぐ》が入《はい》ったバッグが結《むす》び付《つ》けられていた。

「ゆっくり降《お》ろせよ！」

「そーっと、そーっと！」

コナンは、機動隊《きどうたい》の降《お》ろすロープを「オーライ！　オーライ！」と誘導《ゆうどう》して、バッグを「とっ！」と受《う》け取《と》った。

「機材《きざい》の受《う》け渡《わた》し、完了《かんりょう》しました!!」

機動隊《きどうたい》からの報告《ほうこく》を受《う》け、東都《とうと》タワーの前《まえ》で待機《たいき》していた爆発物処理班《ばくはつぶつしょりはん》は、さっそく高《たか》木刑事《ぎけいじ》の携帯《けいたい》と電話《でんわ》をつないで、指示《しじ》を出《だ》した。

『よーし、まずは感光起爆装置《かんこうきばくそうち》から取《と》り除《のぞ》こう！　今《いま》から1分後《ぷんご》、エレベーター内《ない》の明《あ》かりを消《け》すから、赤外線暗視《せきがいせんあんし》スコープを装着《そうちゃく》し、暗《くら》くなったら水銀《すいぎん》レバーの右側《みぎがわ》にあるカバーを外《はず》すんだ！　水銀《すいぎん》レバーに触《ふ》れないようにな！』

「まずはそのカバーを外《はず》すんですね？」

『そうだ！』

高木刑事《たかぎけいじ》の携帯電話《けいたいでんわ》はスピーカーフォンモードになっているので、爆発物処理班《ばくはつぶつしょりはん》からの指示《しじ》はコナンにも聞《き》こえている。

ちょうどエレベーター内《ない》の明《あ》かりが消《き》えたので、高木刑事《たかぎけいじ》は、

「今《いま》のわかったかい、コナン君《くん》？」

と、天井《てんじょう》の上《うえ》にいるコナンに声《こえ》をかけた。

しかしコナンからの返事《へんじ》はない。

「コ、コナン君《くん》？」

実《じつ》は、エレベーター内《ない》の明《あ》かりが落《お》ちてすぐ、コナンは自力《じりき》で解体作業《かいたいさぎょう》を始《はじ》めていた。爆発物処理班《ばくはつぶつしょりはん》の指示《しじ》をあおぐまでもなく、コナンはすでに爆弾《ばくだん》の解体方法《かいたいほうほう》を知《し》っていたのだ。まずはキュッキュッと爆弾《ばくだん》の外側《そとがわ》についたネジを回《まわ》し、パカッと外箱《そとばこ》を外《はず》す。中《なか》にはたくさんのコードがあり、小《ち》さな部品《ぶひん》が複雑《ふくざつ》に入《い》り組《く》んでいた。

奥《おく》の方《ほう》には、小《ち》さなレンズのついた円筒状《えんとうじょう》の部品《ぶひん》がある。

(あった！　光電管《こうでんかん》！)

円筒状《えんとうじょう》の部品《ぶひん》から延《の》びたコードを、コナンはパチンと切《き》り離《はな》した。

(こいつのコードを切《き》れば、まずは一安心《ひとあんしん》…)

「コナン君《くん》、聞《き》こえるかい？」

コナンからの返事《へんじ》がないので、高木刑事《たかぎけいじ》が心配《しんぱい》そうに聞《き》いた。

「うん！　聞《き》こえてるから、どんどん続《つづ》けて！」

「カバーを外《はず》すと、変《へん》な機械《きかい》がいっぱいあるだろ？　その上《うえ》の方《ほう》に光《ひかり》を感知《かんち》すると作動《さどう》する小《ち》さな光電管《こうでんかん》ってヤツが付《つ》いてるはずなんだ…その光電管《こうでんかん》から出《で》ているコードを…」

高木刑事《たかぎけいじ》が順番《じゅんばん》に指示《しじ》を出《だ》すが、コナンはすでに光電管《こうでんかん》のコードを切《き》り終《お》えて、次《つぎ》の手《て》順《じゅん》に移《うつ》っている。

（こいつを迂回《うかい》させて…）

腕時計型《うでどけいがた》ライトを口《くち》にくわえて照《て》らしながら、コナンはパチンとコードを切《き》り離《はな》した。このまま手際《てぎわ》よく爆弾《ばくだん》を処理《しょり》していけば、爆破時刻《ばくはじこく》までには余裕《よゆう》で解体《かいたい》を終《お》えることが出《で》来《き》るだろう。

（おっと、電気《でんき》が通《とお》ってやがる…。ヤバイヤバイ…んじゃ、このスキ間《ま》にプラスチックのストッパーをかませて…）

爆弾《ばくだん》につないだ検電器《けんでんき》の目盛《めも》りが振《ふ》れているのに気《き》づき、コナンはバッグの中《なか》に入《はい》っていた、プラスチック製《せい》の板状《いたじょう》ストッパーを手《て》に取《と》った。プラスチックは電気《でんき》を通《とお》さないので、ストッパーを部品《ぶひん》の間《あいだ》に挟《はさ》みこむことで、電気《でんき》の流《なが》れを遮断《しゃだん》することができるのだ。

（ストッパー？ そーいえばあの暗号《あんごう》、「出来《でき》のいいストッパーを用意《ようい》しても無駄《むだ》だ」って書《か》いてあったな…）

解体作業《かいたいさぎょう》を進《すす》めながら、コナンはふと、暗号文《あんごうぶん》の文章《ぶんしょう》を思《おも》い出《だ》した。

（出来《でき》がいいって事《こと》は防御率《ぼうぎょりつ》がいいって事《こと》か…。でも何《なん》でメジャーリーガーなんだ？ ここは日本《にっぽん》なんだから、プロ野球選手《やきゅうせんしゅ》って書《か》いてもいいのに…)

メジャーリーガーというのは、アメリカのプロリーグで活躍《かつやく》する野球選手《やきゅうせんしゅ》のことだ。なぜ爆弾犯《ばくだんはん》は、わざわざアメリカでの野球選手《やきゅうせんしゅ》の呼《よ》び名《な》を使《つか》ったのだろうか。

(まてよ…。延長戦《えんちょうせん》…防御率《ぼうぎょりつ》…逆転《ぎゃくてん》…メジャーリーガー…。ま、まさか…もう一《ひと》つの爆弾《ばくだん》の場所《ばしょ》って…)

もう一《ひと》つの爆弾《ばくだん》が仕掛《しか》けられた場所《ばしょ》に思《おも》い当《あ》たり、コナンはハッとして作業《さぎょう》の手《て》を止《と》めた。

もしもコナンの推理通《すいりどお》りの場所《ばしょ》に、もう一《ひと》つの爆弾《ばくだん》が仕掛《しか》けられているのだとしたら――早《はや》く爆弾《ばくだん》を解体《かいたい》しなければ、たくさんの被害者《ひがいしゃ》が出《で》てしまう。

液晶《えきしょう》パネルに表示《ひょうじ》されたカウントダウンは、「54：17」。爆破時刻《ばくはじこく》までは、あと一時間弱《いちじかんじゃく》だ。

(まだ時間《じかん》はあるけど…それがどこかがわからねーと…)

その時《とき》、液晶《えきしょう》パネルに、突然《とつぜん》メッセージが流《なが》れてきた。その文章《ぶんしょう》に目《め》を通《とお》し、コナンは
「!?」と目《め》を見開《みひら》いた。

「ねえ高木刑事《たかぎけいじ》…」

低《ひく》い声《こえ》で、高木刑事《たかぎけいじ》に声《こえ》をかける。

「え？」

「ちょっと相談《そうだん》があるんだけど…」


東都《とうと》タワーの爆弾事件《ばくだんじけん》を取材《しゅざい》するため、マスコミのヘリコプターが東京《とうきょう》の上空《じょうくう》を飛《と》び回《まわ》っていた。

帝丹高校《ていたんこうこう》で模試《もし》を受《う》けていた園子《そのこ》は、ババババ…というヘリコプターの飛行音《ひこうおん》を聞《き》きつけて、窓《まど》の外《そと》に目《め》を向《む》けた。

「ちょっと何《なに》？　何《なに》？　今度《こんど》はＴＶ局《テレビきょく》のヘリよ！」

「やっぱり何《なに》かあったのかなぁ…」

園子《そのこ》に話《はな》しかけられ、蘭《らん》もつられて、窓《まど》の外《そと》へと視線《しせん》を向《む》ける。

「コラ！　テスト中《ちゅう》は静《しず》かに！」

監督係《かんとくがかり》の先生《せんせい》に怒《おこ》られ、蘭《らん》と園子《そのこ》はあわててテスト用紙《ようし》に視線《しせん》を戻《もど》した。

しかし、事件《じけん》のことが気《き》になるのは、先生《せんせい》も同《おな》じだ。先生《せんせい》は、片耳《かたみみ》にイヤフォンを装着《そうちゃく》してラジオのニュースを聞《き》き、東都《とうと》タワーに仕掛《しか》けられた爆弾《ばくだん》の状況《じょうきょう》をチェックしていた。

『爆破予告時間《ばくはよこくじかん》まで、あと20分《ぷん》を切《き》りました!! 爆弾《ばくだん》と一緒《いっしょ》に取《と》り残《のこ》された少年《しょうねん》と警察官《けいさつかん》は、未《いま》だ救出《きゅうしゅつ》されていません!! 時間《じかん》は刻々《こくこく》と過《す》ぎていきます! 果《は》たしてその二人《ふたり》の運命《うんめい》は…あの東京《とうきょう》のシンボルと共《とも》に消滅《しょうめつ》してしまうのでしょうか?』

東都《とうと》タワーの付近《ふきん》では、住人《じゅうにん》や居合《いあ》わせた人々《ひとびと》の避難《ひなん》が進《すす》み、現場《げんば》の近辺《きんぺん》は我先《われさき》にと逃《に》げる人《ひと》たちで騒然《そうぜん》としていた。

一方《いっぽう》、毛利探偵事務所《もうりたんていじむしょ》では小五郎《こごろう》が昼寝《ひるね》から目覚《めざ》め、つけっぱなしのテレビから事件《じけん》について報《ほう》じるニュースが流《なが》れてくるのを、「ふぁ…」と寝《ね》ぼけまなこのまま聞《き》いていた。


爆発物処理班《ばくはつぶつしょりはん》の指示《しじ》に従《したが》い、高木刑事《たかぎけいじ》とコナンは順調《じゅんちょう》に爆弾《ばくだん》の解体《かいたい》を進《すす》めている——はずだった。

しかし、解体《かいたい》が完了《かんりょう》する直前《ちょくぜん》の段階《だんかい》で、突然《とつぜん》、作業《さぎょう》が止《と》まってしまった。あとは三本《さんぼん》のコードを切《き》るだけなのだが、それが出来《でき》ないという。

『なにぃ!?　コードを切《き》れないだと!?　残《のこ》りは三本《さんぼん》だけだぞ!?』

コナンたちに指示《しじ》を出《だ》していた爆発物処理班《ばくはつぶつしょりはん》の男性《だんせい》は、電話《でんわ》ごしに声《こえ》を荒《あら》らげた。

『まず、液晶《えきしょう》パネルの電源《でんげん》を切《き》るための黄色《きいろ》いコード！　次《つぎ》に水銀《すいぎん》レバーの白《しろ》いコード！　そして、遠隔操作用《えんかくそうさよう》に設置《せっち》してある携帯電話《けいたいでんわ》の黒《くろ》いコードの順《じゅん》に切断《せつだん》すれば爆弾《ばくだん》は完全《かんぜん》に止《と》まる！　ここまで出来《でき》て、どうしてそれができないんだ!?』

このまま爆弾《ばくだん》が解体出来《かいたいでき》なければ、高木刑事《たかぎけいじ》もコナンも爆発《ばくはつ》に巻《ま》き込《こ》まれて死《し》んでしまう。そばで会話《かいわ》を聞《き》いていた佐藤刑事《さとうけいじ》はすぐさま、爆発物処理班《ばくはつぶつしょりはん》の男性《だんせい》から携帯電話《けいたいでんわ》を奪《うば》い取《と》り、電話口《でんわぐち》に向《む》かって早口《はやくち》にまくしたてた。

「高木君《たかぎくん》、何《なに》してるの!?　早《はや》く切《き》りなさい!!」

『ダメです…。切《き》れません…』

「何言《なにい》ってんの!?　時間《じかん》はあと10分《ぷん》しか…」

『〝勇敢《ゆうかん》なる警察官《けいさつかん》よ…君《きみ》の勇気《ゆうき》を称《たた》えて褒美《ほうび》を与《あた》えよう…試合終了《しあいしゅうりょう》を彩《いろど》る、大《おお》きな花火《はなび》の在処《ありか》を…。表示《ひょうじ》するのは爆発《ばくはつ》3秒前《びょうまえ》…健闘《けんとう》を祈《いの》る…〟。これが液晶《えきしょう》パネルに表示《ひょうじ》された文字《もじ》だと、コナン君《くん》が言《い》っていました…』

高木刑事《たかぎけいじ》が淡々《たんたん》と告《つ》げる。

爆弾犯《ばくだんはん》からのメッセージだとすぐに気付《きづ》き、佐藤刑事《さとうけいじ》は携帯電話《けいたいでんわ》を握《にぎ》りしめたまま、動《うご》きを止《と》めた。試合終了《しあいしゅうりょう》を彩《いろど》る大《おお》きな花火《はなび》の在処《ありか》とは、もう一《ひと》つの爆弾《ばくだん》の場所《ばしょ》のことだろう。

松田刑事《まつだけいじ》の時《とき》と、全《まった》く同《おな》じ展開《てんかい》だ。

『なんとかコナン君《くん》だけでも避難《ひなん》させたいんですが…もう一《ひと》つの爆弾《ばくだん》の場所《ばしょ》を特定《とくてい》し、多《おお》くの被害者《ひがいしゃ》を出《だ》さないためには、コナン君《くん》がヒントを見《み》て、僕《ぼく》が電話《でんわ》でそれを伝《つた》えるしか方法《ほうほう》はないみたいです…』

冷静《れいせい》な口調《くちょう》で告《つ》げると、高木刑事《たかぎけいじ》は少《すこ》しだけ声《こえ》をやわらかくして続《つづ》けた。

『すみません…。でも佐藤《さとう》さんなら…。わかってくれますよね…』

佐藤刑事《さとうけいじ》は目《め》に涙《なみだ》をにじませ、(バカ…)と、心《こころ》の中《なか》でつぶやいた。

高木刑事《たかぎけいじ》もまた、松田刑事《まつだけいじ》と同《おな》じように、多《おお》くの人《ひと》の命《いのち》を救《すく》うために自分《じぶん》が犠牲《ぎせい》になることを選《えら》んでしまった。それは、佐藤刑事《さとうけいじ》が一番恐《いちばんおそ》れていたことだった。

TV局《テレビきょく》のクルーは、東都《とうと》タワーから充分《じゅうぶん》に距離《きょり》を取《と》った上《うえ》で、まだ中継《ちゅうけい》を続《つづ》けていた。

「あと4分《ぷん》！　爆発《ばくはつ》まで4分《ぷん》です!!　まだタイマーは止《と》まっていません!!　犯人《はんにん》さん！　これを見《み》ていたら止《と》めてください！　あなたに良心《りょうしん》が残《のこ》っているのなら…」

女性《じょせい》アナウンサーが、カメラに向《む》かって必死《ひっし》に訴《うった》えかける。

爆弾犯《ばくだんはん》は、野次馬《やじうま》に紛《まぎ》れて中継《ちゅうけい》の様子《ようす》を眺《なが》めながら、

（フン、良心《りょうしん》か…）

と、心《こころ》の中《なか》で吐《は》き捨《す》てた。

脳裏《のうり》をよぎるのは、七年前《ななねんまえ》の事件《じけん》のこと。警察《けいさつ》は、二《ふた》つ仕掛《しか》けた爆弾《ばくだん》のうちの一《ひと》つを解《かい》体《たい》できず、爆弾犯《ばくだんはん》の要求《ようきゅう》をのんで十億円《じゅうおくえん》を支払《しはら》った。

事件《じけん》の直後《ちょくご》、車《くるま》で都内《とない》を走《はし》りながら、爆弾犯《ばくだんはん》の相棒《あいぼう》は興奮《こうふん》を抑《おさ》えきれずにいた。

「まだ信《しん》じられないよ…こんなにうまく行《い》くなんて…」

「んじゃあ、ラジオでTV《テレビ》の音《おと》でも拾《ひろ》って、俺達《おれたち》の武勇伝《ぶゆうでん》を聞《き》いてみるか？」

そう言《い》って、爆弾犯《ばくだんはん》の男《おとこ》はカーラジオをつけた。すると、

『爆弾《ばくだん》のタイマーはまだ動《うご》いています！　犯人《はんにん》さん見《み》てますか？』

と、まるでまだ爆弾《ばくだん》が止《と》まっていないかのようなニュースの音声《おんせい》が流《なが》れてきた。

あとからわかったことだが、そのニュースは生中継《なまちゅうけい》ではなく、事件《じけん》を振《ふ》り返《かえ》るVTR《ブイティーアール》の映像《えいぞう》を流《なが》していただけだった。しかし、爆弾犯《ばくだんはん》も相棒《あいぼう》もそのことには気《き》づかなかった。

「え？　ま、まさかリモコンがうまく作動《さどう》しなかったんじゃ…」

「放《ほ》っとけよ…金《かね》はもう手《て》に入《い》れたんだし…」

爆弾犯《ばくだんはん》はそう言《い》って相棒《あいぼう》をなだめようとしたが、相棒《あいぼう》は青《あお》ざめた表情《ひょうじょう》でドアを開《あ》けると、

「オ、オレ、警察《けいさつ》に爆弾《ばくだん》の止《と》め方《かたおし》教えて来《く》るよ！」

と、車外《しゃがい》に出《で》ていってしまった。

「お、おい!!」

爆弾犯《ばくだんはん》が止《と》めるのも聞《き》かず、相棒《あいぼう》は電話《でんわ》ボックスから、「爆弾《ばくだん》のタイマーがまだ動《うご》いてるって、どういう事《こと》だ？」と警察《けいさつ》に電話《でんわ》を入《い》れた。警察《けいさつ》は、電話《でんわ》を逆探知《ぎゃくたんち》して相棒《あいぼう》の居場《いば》所《しょ》を突《つ》き止《と》め、あわてて逃《に》げようとした相棒《あいぼう》は、逃走中《とうそうちゅう》に車《くるま》にはねられて死《し》んでしまった。

当時《とうじ》のことを思《おも》い出《だ》し、爆弾犯《ばくだんはん》はギリッと奥歯《おくば》を噛《か》みしめた。

（警察《けいさつ》は…警察《けいさつ》の野郎共《やろうども》は…その良心《りょうしん》を利用《りよう》して…あいつを…あいつを…）

「もはや、少年《しょうねん》と警察官《けいさつかん》の命《いのち》は風前《ふうぜん》の灯火《ともしび》と…」

アナウンサーが悲痛《ひつう》な表情《ひょうじょう》でニュースを報《ほう》じ続《つづ》けているのをしりめに、爆弾犯《ばくだんはん》は近《ちか》くに停《と》めていた車《くるま》に乗《の》りこんだ。

（フン…。そのガキには悪《わる》いが…爆発《ばくはつ》したら警察《けいさつ》はガキを守《まも》れなかった事《こと》になり、爆発前《ばくはつまえ》にビビって止《と》めやがったら、ヒントはわからずもっと大量《たいりょう》に犠牲者《ぎせいしゃ》が出《で》る…。そして俺《おれ》はこの事《こと》をマスコミに公表《こうひょう》し、警察《けいさつ》の大失態《だいしったい》が白日《はくじつ》の下《もと》に晒《さら》されるってわけだ…）

遠《とお》くにそびえる東都《とうと》タワーを見《み》つめ、爆弾犯《ばくだんはん》はほくそ笑《え》んだ。

（どっちにしても終《お》わりだよ…。きさまら警察《けいさつ》はな…）


エレベーターに仕掛《しか》けられた爆弾《ばくだん》の爆破時刻《ばくはじこく》は、刻一刻《こくいっこく》と迫《せま》っていく。

コナンは、爆弾《ばくだん》の液晶《えきしょう》パネルにヒントが表示《ひょうじ》されるのを待《ま》ちながら、自分《じぶん》の推理《すいり》を高木《たかぎ》刑事《けいじ》に話《はな》した。実《じつ》はコナンは、すでに爆弾犯《ばくだんはん》からの暗号文《あんごうぶん》を解読《かいどく》して、もう一《ひと》つの爆弾《ばくだん》の隠《かく》し場所《ばしょ》にもある程度《ていど》の目星《めぼし》をつけていたのだ。

「へ――…。あの暗号《あんごう》にはそんな意味《いみ》が…」

感心《かんしん》する高木刑事《たかぎけいじ》に、コナンは「シィー」と人差《ひとさ》し指《ゆび》を立《た》てた。

「あんまり大《おお》きな声出《こえだ》すと、爆弾犯《ばくだんはん》に聞《き》こえちゃうから…」

「あ…」

高木刑事《たかぎけいじ》は、あわてて声《こえ》をひそめると「でも」と続《つづ》けた。

「そこに該当《がいとう》する場所《ばしょ》は、東京《とうきょう》には400以上《いじょう》あるんじゃ…」

「うん…爆弾犯《ばくだんはん》に気《き》づかれないように今《いま》からそこを全部調《ぜんぶしら》べて、爆弾《ばくだん》を見《み》つけるのはまず無理《むり》だし…その400以上《いじょう》ある場所《ばしょ》にいる人達《ひとたち》を一斉《いっせい》に避難《ひなん》させようとしたら、犯人《はんにん》の性格《せいかく》からして、遠隔操作《えんかくそうさ》で爆弾《ばくだん》のスイッチを押《お》しかねない…。つまり全員《ぜんいん》を確実《かくじつ》に助《たす》けるには…」

「ヒントを見《み》て、ピンポイントでその場所《ばしょ》を調《しら》べて、爆弾《ばくだん》を発見《はっけん》するしかない…。松田刑事《まつだけいじ》がやったようにだね？」

「ああ…」

小《ちい》さくうなずくと、コナンは落《お》ち着《つ》いた表情《ひょうじょう》で続《つづ》けた。

「それに…いるかもしれないんだ、そこに…。この世《よ》で一番《いちばん》死《し》なせたくない大切《たいせつ》な奴《やつ》が…。ゴメンね、高木刑事《たかぎけいじ》…」

謝《あやま》られ、高木刑事《たかぎけいじ》は「いや…」と軽《かる》く首《くび》を振《ふ》った。人《ひと》が死《し》ぬのを阻止《そし》したいという思《おも》いは、高木刑事《たかぎけいじ》も同《おな》じだ。多《おお》くの人《ひと》の命《いのち》を守《まも》るために、警察官《けいさつかん》である自分《じぶん》が犠牲《ぎせい》になるのは当然《とうぜん》のことだと受《う》け止《と》めていた。

「なあコナン君《くん》…ついでだからもう一《ひと》つ教《おし》えてくれよ…。君《きみ》はいったい…何者《なにもの》なんだい？」

「ああ…知《し》りたいのなら教《おし》えてあげるよ…」

静《しず》かに言《い》うと、コナンは少《すこ》し声《こえ》を低《ひく》くして「あの世《よ》でね…」と付《つ》け足《た》した。


少年探偵団《しょうねんたんていだん》たちは、千葉刑事《ちばけいじ》の運転《うんてん》する車《くるま》で、東都《とうと》タワーからどんどん遠《とお》ざかっていた。

『依然《いぜん》二人《ふたり》は救出《きゅうしゅつ》されないまま、時間《じかん》は残《のこ》り1分《ぷん》を切《き》ろうとしています！』

カーラジオから流《なが》れるニュースを聞《き》いて、コナンと高木刑事《たかぎけいじ》が取《と》り残《のこ》されていることを知《し》り、光彦《みつひこ》は千葉刑事《ちばけいじ》に食《く》ってかかった。

「ちょっと、どーいう事《こと》ですか!? コナン君《くん》と高木刑事《たかぎけいじ》、まだ中《なか》にいるじゃないですか!!」

「車戻《くるまもど》せよ、東都《とうと》タワーに!! おい、千葉《ちば》!!」

と、元太《げんた》も千葉刑事《ちばけいじ》の首《くび》をつかんだ。そうしている間《あいだ》にも、ラジオは事件《じけん》について報《ほう》じ続《つづ》けている。

『たった今《いま》、機動隊《きどうたい》にも退避命令《たいひめいれい》が出《で》た模様《もよう》です！』

ニュースを聞《き》きながら、灰原《はいばら》は沈《しず》んだ表情《ひょうじょう》を浮《う》かべた。

(聞《き》いてしまったのね…。悪魔《あくま》のささやきを…)

灰原《はいばら》が心配《しんぱい》していた通《とお》り、コナンも高木刑事《たかぎけいじ》も、自分《じぶん》が犠牲《ぎせい》になることを選《えら》んでしまったのだ。

歩美《あゆみ》は後部座席《こうぶざせき》の窓《まど》を開《あ》け、遠《とお》ざかっていく東都《とうと》タワーを見《み》つめた。

——オレがいなくても、オメーら探偵団《たんていだん》なら…。

そう言《い》って去《さ》っていったコナンの姿《すがた》が、頭《あたま》から離《はな》れない。

「コナンくーん!!」

目《め》に涙《なみだ》を浮《う》かべ、歩美《あゆみ》は窓《まど》から身《み》を乗《の》り出《だ》して叫《さけ》んだ。


爆弾《ばくだん》の液晶《えきしょう》パネルに表示《ひょうじ》されたカウントダウンの数字《すうじ》は着々《ちゃくちゃく》と減《へ》っていき、とうとう一《いっ》分《ぷん》を切《き》ってしまった。

「あと15秒《びょう》…。高木刑事《たかぎけいじ》、用意《ようい》できた？」

コナンに確認《かくにん》され、高木刑事《たかぎけいじ》は手《て》の中《なか》の携帯電話《けいたいでんわ》を見《み》ながら「ああ…」とうなずいた。

「君《きみ》の推理《すいり》は、全《すべ》てメールに打《う》ち込《こ》んだよ…。あとは、君《きみ》が読《よ》み上《あ》げるヒントを打《う》ち込《こ》んで送信《そうしん》するだけだ！」

「そろそろ出《で》るよ！」

カウントダウンが残《のこ》り3秒《びょう》になったところで、液晶《えきしょう》パネルにヒントが流《なが》れてくる。コナンは緊張《きんちょう》して、ヒントを一文字《ひともじ》ずつ読《よ》み上《あ》げた。

「最初《さいしょ》の文字《もじ》は…アルファベットのE《イー》！　V《ブイ》!!　I《アイ》!!　T《ティー》!!」

佐藤刑事《さとうけいじ》は、高木刑事《たかぎけいじ》とコナンを助《たす》けるために東都《とうと》タワーへ突入《とつにゅう》しようとして、機動隊《きどうたい》員《いん》に押《お》しとどめられていた。

佐藤刑事《さとうけいじ》の目《め》には、高木刑事《たかぎけいじ》の命《いのち》を刈《か》り取《と》ろうと鎌《かま》を構《かま》えた死神《しにがみ》の幻覚《げんかく》が見《み》えていた。

爆発《ばくはつ》の時間《じかん》までは、あと数秒《すうびょう》もない。このまま高木刑事《たかぎけいじ》も、松田刑事《まつだけいじ》と同《おな》じように死神《しにがみ》に連《つ》れ去《さ》られてしまうのだろうか。

機動隊員《きどうたいいん》ともみ合《あ》いながら、佐藤刑事《さとうけいじ》はパニックになり、「イヤァ!!」と悲痛《ひつう》な叫《さけ》び声《ごえ》をあげた。


蘭《らん》は、東都《とうと》タワーの爆弾事件《ばくだんじけん》のことなど何《なに》も知《し》らずに、クラスメイトたちと模試《もし》を受《う》けていた。机《つくえ》に向《む》かい、ひたすらに問題《もんだい》を解《と》き続《つづ》ける。すると、突然《とつぜん》、

——逃《に》げろ…逃《に》げろ…

と、どこからか新一《しんいち》の声《こえ》が聞《き》こえてきた。

――逃《に》げろ、蘭《らん》!!

(え? 新一《しんいち》!?)

蘭《らん》は驚《おどろ》いて顔《かお》を上《あ》げた。

新一《しんいち》は、もうずっと高校《こうこう》を休《やす》んで、行方《ゆくえ》をくらまし続《つづ》けている。当然《とうぜん》、今日《きょう》の模試《もし》にも来《き》ていない。それなのに、蘭《らん》の頭《あたま》の中《なか》には「逃《に》げろ」と告《つ》げる新一《しんいち》の声《こえ》が響《ひび》き続《つづ》けていた。

コナンは、爆弾《ばくだん》の液晶《えきしょう》パネルの前《まえ》で、表示《ひょうじ》されるヒントを読《よ》み上《あ》げていた。

最初《さいしょ》の文字《もじ》は、アルファベットのE《イー》。続《つづ》けて、V《ブイ》、I《アイ》、T《ティー》――とアルファベットが流《なが》れてきたのを見《み》て、コナンははっと息《いき》をのんだ。

(蘭《らん》!?)

いよいよ爆弾《ばくだん》が爆発《ばくはつ》する時刻《じこく》になり、中継《ちゅうけい》を行《おこな》っていたTV局《テレビきょく》のクルーや避難中《ひなんちゅう》の人々《ひとびと》、そして佐藤刑事《さとうけいじ》や少年探偵団《しょうねんたんていだん》たちも、固唾《かたず》をのんで東都《とうと》タワーを見守《みまも》った。

しかし、時間《じかん》になっても、爆発《ばくはつ》は起《お》きない。

ヒントを送信《そうしん》し終《お》えた高木刑事《たかぎけいじ》は、目《め》をつぶり指《ゆび》で耳《みみ》をふさいで爆発《ばくはつ》に備《そな》えていたが、いつまで経《た》っても何《なに》も起《お》きないので、

「え？」

と驚《おどろ》いて、片目《かため》を開《あ》けた。

ドッ！

コナンが、天井《てんじょう》から飛《と》び降《お》りてくる。エレベーター全体《ぜんたい》が大《おお》きく揺《ゆ》れ、高木刑事《たかぎけいじ》は「わっ」と腰《こし》を抜《ぬ》かしてあわてた。

「バ、バカ、揺《ゆ》れたら爆弾《ばくだん》が…え？　あれ？」

大《おお》きな振動《しんどう》を与《あた》えたにもかかわらず、爆弾《ばくだん》が爆発《ばくはつ》する気配《けはい》はない。拍子《ひょうし》抜《ぬ》けする高木刑《たかぎけい》事《じ》に、コナンはすまなそうに告《つ》げた。

「やっぱり死《し》ぬの怖《こわ》いから、残《のこ》りのコード切《き》って止《と》めちゃったよ…。ごめんね…」

「じゃあ、ヒントの途中《とちゅう》で…」

「うん…。EVIT《イーブイアイティー》だけじゃもう一《ひと》つの爆弾《ばくだん》の場所《ばしょ》はわからないね…」

「ま、まあ仕方《しかた》ないさ…」

苦笑《にがわら》いで言《い》うと、高木刑事《たかぎけいじ》は気持《きも》ちを切《き》り替《か》えるように声《こえ》を明《あか》るくした。

「とにかくレスキュー隊《たい》を呼《よ》んで、ここから助《たす》け出《だ》してもらおう！」


爆弾犯《ばくだんはん》は、仕掛《しか》けた盗聴器《とうちょうき》を通《とお》して、コナンと高木刑事《たかぎけいじ》の会話《かいわ》を聞《き》いていた。

(フン…やはり、臆病風《おくびょうかぜ》に吹《ふ》かれたか…)

コナンが爆弾《ばくだん》を止《と》めたことを知《し》り、犯人《はんにん》は唇《くちびる》をゆがめてニヤリと笑《わら》った。

(爆弾《ばくだん》を止《と》めたのはボウズだが、世間《せけん》は警察《けいさつ》が止《と》めさせたと思《おも》うだろーよ…。大勢《おおぜい》の命《いのち》を犠牲《ぎせい》にして、自分達《じぶんたち》だけ助《たす》かりやがったってな!!)

爆弾《ばくだん》が無事《ぶじ》に解体《かいたい》されたことを知《し》り、避難《ひなん》していた人々《ひとびと》は再《ふたた》び東都《とうと》タワーの周《まわ》りに集《あつ》まってきた。

ワーワーと歓声《かんせい》をあげる人々《ひとびと》の様子《ようす》を、TV局《テレビきょく》のクルーが生中継《なまちゅうけい》で報《ほう》じる。

『お聞《き》きください、この大歓声《だいかんせい》!! 爆弾《ばくだん》は無事《ぶじ》止《と》められました!! しかもなんと、爆弾《ばくだん》を解体《かいたい》したのはエレベーターにとじこめられていた少年《しょうねん》だったのです!!』

事務所《じむしょ》にいた小五郎《こごろう》は、起《お》き抜《ぬ》けのコーヒーを飲《の》みながら「ん?」とTV《テレビ》に視線《しせん》を向《む》けた。画面《がめん》の中《なか》では、アナウンサーが、爆弾《ばくだん》を解体《かいたい》したという少年《しょうねん》にマイクを向《む》けている。

『ではその少年《しょうねん》に聞《き》いてみましょう! 怖《こわ》かったでしょ、ボク?』

『うん! でも警察《けいさつ》のおじさん達《たち》がわかりやすく教《おし》えてくれたから、簡単《かんたん》に分解《ぶんかい》できたよ!』

元気《げんき》よく答《こた》えるコナンの姿《すがた》がTV《テレビ》画面《がめん》に映《うつ》り、小五郎《こごろう》は口《くち》にふくんだコーヒーをブッと吹《ふ》き出《だ》してしまった。

また、自宅《じたく》にいた阿笠博士《あがさはかせ》も、ちょうど同《おな》じニュース番組《ばんぐみ》を見《み》ていて、

「新一君《しんいちくん》!?」

と、驚《おどろ》いていた。

レスキュー隊《たい》に救助《きゅうじょ》された高木刑事《たかぎけいじ》は、東都《とうと》タワーを出《で》たところで、佐藤刑事《さとうけいじ》に迎《むか》えられた。

「あ、あの佐藤《さとう》さん……」

高木刑事《たかぎけいじ》が、気《き》まずげに、おずおずと佐藤刑事《さとうけいじ》に歩《あゆ》み寄《よ》る。ヒントが最後《さいご》まで表示《ひょうじ》される前《まえ》に、爆弾《ばくだん》を止《と》めてしまったことを悔《く》やんでいるかのような表情《ひょうじょう》だ。

「バカね…自分《じぶん》を責《せ》めないで…」

佐藤刑事《さとうけいじ》はやさしく言《い》って、高木刑事《たかぎけいじ》の肩《かた》に触《ふ》れた。

「さあ、残《のこ》り2時間半《じかんはん》！　もう一《ひと》つの爆弾《ばくだん》を見《み》つけましょう！」

「あ、いや、実《じつ》は…」

高木刑事《たかぎけいじ》が、佐藤刑事《さとうけいじ》にそっと何《なに》かを耳打《みみう》ちする。

佐藤刑事《さとうけいじ》は「え？」と表情《ひょうじょう》を変《か》えた。

その頃《ころ》、コナンも、東都《とうと》タワーの前《まえ》で少年探偵団《しょうねんたんていだん》たちに出迎《でむか》えられていた。

「よかった、助《たす》かって!!」

歩美《あゆみ》は目《め》に涙《なみだ》をためたまま、ほっとしたように声《こえ》をはずませた。

「コナン君《くん》ならやってくれると思《おも》ってました！」

「さすがオレの子分《こぶん》だぜ！」

と、元太《げんた》と光彦《みつひこ》もうれしそうだ。

「ハハハ…」

苦笑《にがわら》いするコナンに、灰原《はいばら》が「まぁ止《と》めて正解《せいかい》だったわね…」と小声《こごえ》で声《こえ》をかける。

「見《み》ず知《し》らずの人《ひと》のために命《いのち》を落《お》とすなんて、バカバカしい事《こと》なんだから…」

「ああそうだな…」

意味深《いみしん》にうなずくと、コナンは目《め》つきを鋭《するど》くして、低《ひく》い声《こえ》で続《つづ》けた。

「きっと爆弾犯《ばくだんはん》も、そう思《おも》ってただろーぜ…」

キーンコーンカーン
帝丹高校《ていたんこうこう》の校舎《こうしゃ》にチャイムが鳴《な》り響《ひび》く。

解答用紙《かいとうようし》が回収《かいしゅう》され、ようやく休《やす》み時間《じかん》になると、園子《そのこ》は「ふへ――…」と長《なが》い溜息《ためいき》をついた。

「やっと残《のこ》り1科目《かもく》…」

つかれきった声《こえ》でつぶやき、ぐでっと脱力《だつりょく》する。

蘭《らん》は窓際《まどぎわ》に立《た》ち、心配《しんぱい》そうな表情《ひょうじょう》で外《そと》を見入《みい》っていた。一台《いちだい》のトラックが、ブロロ…とエンジン音《おん》を立《た》てて学校《がっこう》の敷地内《しきちない》に入《はい》ってくるところだ。

「どーしたの？　うかない顔《かお》して…次《つぎ》は蘭《らん》の得意《とくい》な国語《こくご》でしょ？」

園子《そのこ》に聞《き》かれ、蘭《らん》は「あ、うん…」とあいまいに相《あい》づちを打《う》った。

「今日《きょう》は何《なん》か、車《くるま》の出入《でい》りが多《おお》いなーって…」

「きっと、この校舎《こうしゃ》の地下《ちか》の体育倉庫《たいいくそうこ》に、卓球台《たっきゅうだい》を入《い》れてんのよ！　今度《こんど》ある卓球《たっきゅう》の都大《とたい》会《かい》、ウチでやる事《こと》になったらしいから…」

実《じつ》は、帝丹高校《ていたんこうこう》の校舎《こうしゃ》には、爆弾犯《ばくだんはん》によって盗聴器《とうちょうき》が仕掛《しか》けられていた。爆弾犯《ばくだんはん》がもう一《ひと》つの爆弾《ばくだん》を仕掛《しか》けた場所《ばしょ》は、蘭《らん》や園子《そのこ》の通《かよ》う帝丹高校《ていたんこうこう》だったのだ。

爆弾犯《ばくだんはん》は、帝丹高校《ていたんこうこう》の近《ちか》くにある歩道橋《ほどうきょう》の上《うえ》で、双眼鏡《そうがんきょう》を使《つか》って校内《こうない》の様子《ようす》をうかがっていた。耳《みみ》に差《さ》し込《こ》んだイヤフォンからは、盗聴器《とうちょうき》が拾《ひろ》う園子《そのこ》と蘭《らん》の会話《かいわ》が聞《き》こえてくる。

『どーせなら、倉庫《そうこ》の奥《おく》に置《お》いてあるあの邪魔《じゃま》なドラム缶《かん》も、持《も》ってってくれりゃいいのに…』

『え？　何《なに》それ？』

『知《し》らないの？　あんなのが五《いつ》つも置《お》いてあるせいで、テニスのネットが出《だ》しづらくってしょーがないんだから…』

園子《そのこ》と蘭《らん》の会話《かいわ》を聞《き》きながら、爆弾犯《ばくだんはん》は（クックックッ…）と心《こころ》の中《なか》で笑《わら》い声《ごえ》をあげた。

園子《そのこ》の言《い》っている、倉庫《そうこ》の奥《おく》に置《お》いてあるドラム缶《かん》の中《なか》には、爆弾犯《ばくだんはん》が仕掛《しか》けた爆弾《ばくだん》が入《はい》っている。爆発《ばくはつ》の時間《じかん》まではすでに一分《いっぷん》を切《き》っているが、現時点《げんじてん》で警察《けいさつ》が帝丹高校《ていたんこうこう》に入《はい》った様子《ようす》はない。

爆弾《ばくだん》が警察《けいさつ》に発見《はっけん》されていないことを確信《かくしん》し、爆弾犯《ばくだんはん》はニヤリと笑《わら》った。

（ついに見《み》つけられなかったか…。まあ今《いま》から見《み》つけても、もう逃《に》げられやしない…残《のこ》り5秒《びょう》だからな…）

今日《きょう》、帝丹高校《ていたんこうこう》で模試《もし》が行《おこな》われていることは、すでに調査済《ちょうさず》みだ。校舎《こうしゃ》の中《なか》にいる大勢《おおぜい》の生徒《せいと》たちを巻《ま》き添《ぞ》えにして、五秒後《ごびょうご》に爆弾《ばくだん》は爆発《ばくはつ》する。

爆弾犯《ばくだんはん》は、腕時計《うでどけい》を見《み》ながらカウントダウンを始《はじ》めた。

（4…3…2…1…0…）

時間《じかん》になったところで、

「ドォン！」

と、声《こえ》に出《だ》しながら、双眼鏡《そうがんきょう》ごしに帝丹高校《ていたんこうこう》の様子《ようす》を確認《かくにん》する。

しかし、仕掛《しか》けた爆弾《ばくだん》が爆発《ばくはつ》する気配《けはい》はなかった。

（な、なぜだ!?　どうして爆発《ばくはつ》しないんだ!?）

起爆装置《きばくそうち》に不具合《ふぐあい》でもあったのだろうか。爆弾犯《ばくだんはん》はあせって携帯電話《けいたいでんわ》を取《と》り出《だ》した。

（くそっ、仕方《しかた》ない…遠隔操作《えんかくそうさ》で…）

ピポパポ……とボタンを押《お》して、爆弾《ばくだん》に接続《せつぞく》した携帯電話《けいたいでんわ》に電話《でんわ》をかける。

すると、ピリリ…ピリリ…と、背後《はいご》から着信音《ちゃくしんおん》が聞《き》こえてきた。

ハッとして振《ふ》り返《かえ》ると、そこには、爆弾《ばくだん》に接続《せつぞく》したはずの携帯電話《けいたいでんわ》を持《も》った目暮警部《めぐれけいぶ》が立《た》っている。目暮警部《めぐれけいぶ》の後《うし》ろには、高木刑事《たかぎけいじ》や佐藤刑事《さとうけいじ》や、大勢《おおぜい》の刑事《けいじ》の姿《すがた》があった。

警察《けいさつ》は、爆弾犯《ばくだんはん》の目《め》を盗《ぬす》んで帝丹高校《ていたんこうこう》に入《はい》り、すでに爆弾《ばくだん》を解体《かいたい》していたのだ。

目暮警部《めぐれけいぶ》は、強《つよ》い視線《しせん》で爆弾犯《ばくだんはん》をにらみつけた。

「残念《ざんねん》だが、電話《でんわ》の相手《あいて》はもう話《はな》せんそうだ…。爆発物処理班《ばくはつぶつしょりはん》がひそかに学校《がっこう》に入《はい》り、あんたが仕掛《しか》けていた盗聴機《とうちょうき》に気《き》づかれんように音《おと》を立《た》てず…ドラム缶《かん》に入《はい》った爆弾《ばくだん》は五《いっ》つともバラバラに解体《かいたい》してしまったからな…」

爆弾犯《ばくだんはん》は言葉《ことば》を失《うしな》い、冷《ひ》や汗《あせ》をダラダラと流《なが》しながら目暮警部《めぐれけいぶ》を凝視《ぎょうし》した。

「おや？　その顔《かお》はどうしてその場所《ばしょ》がわかったかって顔《かお》だな？　あの暗号文《あんごうぶん》から、東都《とうと》タワーと爆破予告時間《ばくはよこくじかん》を意味《いみ》する文《ぶん》を除《のぞ》くとこうなる…。

『俺《おれ》は剛球豪打《ごうきゅうごうだ》のメジャーリーガー
さあ延長戦《えんちょうせん》の始《はじ》まりだ…

出来《でき》のいいストッパーを用意《ようい》しても無駄《むだ》だ…

最後《さいご》は俺《おれ》が逆転《ぎゃくてん》する…』」

暗号文《あんごうぶん》の文章《ぶんしょう》を読《よ》み上《あ》げると、目暮警部《めぐれけいぶ》は、理路整然《りろせいぜん》とした口調《くちょう》で続《つづ》けた。

「『メジャーリーガー』は英語《えいご》に直《なお》せというキーワード…。『出来《でき》のいいストッパー』は防《ぼう》御率《ぎょりつ》がいい投手《とうしゅ》の事《こと》…。英語《えいご》で『延長戦《えんちょうせん》』はエクストライニングゲーム、『防御率《ぼうぎょりつ》』は略《りゃく》してERA《イーアールエー》。エクストラのEXTRA《イーエックスティーアールエー》からERA《イーアールエー》を取《と》るとXT《エックスティー》！　XT《エックスティー》を縦《たて》に書《か》いて『最後《さいご》に逆転《ぎゃくてん》』すると『文《ぶん》』という漢字《かんじ》になる！　学校《がっこう》を示《しめ》す地図記号《ちずきごう》にな‼」

延長戦《えんちょうせん》は英語《えいご》で「Extra《エクストラ》 Innings《イニングス》 Game《ゲーム》」とつづる。出来《でき》の良《よ》いストッパーとは、防御率《ぼうぎょりつ》のいい投手《とうしゅ》のことを指《さ》し、防御率《ぼうぎょりつ》は英語《えいご》で「ERA《イーアールエー》」と表記《ひょうき》する。

暗号文《あんごうぶん》には「出来《でき》のいいストッパーを用意《ようい》しても『無駄《むだ》』とあることから、延長戦《えんちょうせん》を表《あら》わす「EXTRA《エクストラ》」という五文字《ごもじ》の単語《たんご》から、防御率《ぼうぎょりつ》を指《さ》す「ERA《イーアールエー》」というアルファベット三文字《さんもじ》を取《と》り除《のぞ》く。すると、残《のこ》るのは「XT《エックスティー》」の二文字《にもじ》だ。

そして、暗号文《あんごうぶん》の「最後《さいご》は俺《おれ》が逆転《ぎゃくてん》する」という一文《いちぶん》に従《したが》い、縦書《たてが》きした「XT《エックスティー》」の二《に》文字《もじ》を逆転《ぎゃくてん》、つまり上下《じょうげ》さかさまにすると、漢字《かんじ》の「文《ぶん》」と同《おな》じ形《かたち》になるのだ。

「そして、一《ひと》つ目《め》の爆弾《ばくだん》の液晶《えきしょう》パネルに表示《ひょうじ》されたヒントの『EVIT《イーブイアイティー》』…。これは探偵《たんてい》の英語表記《えいごひょうき》、DETECTIVE《ディテクティヴ》のつづりを逆《ぎゃく》にして流《なが》れた文字《もじ》の一部《いちぶ》…。探偵《たんてい》を逆《ぎゃく》にすると偵探《ていたん》…。帝丹《ていたん》という名《な》の学校《がっこう》は小《しょう》・中《ちゅう》・高《こう》・大《だい》とあるが、この日曜日《にちようび》に生徒《せいと》が大勢《おおぜい》集《あつ》まっているのは…全国模試《ぜんこくもし》をやっている帝丹高校《ていたんこうこう》しかないというわけだよ‼」

暗号文《あんごうぶん》を完璧《かんぺき》に解読《かいどく》され、爆弾犯《ばくだんはん》は真《ま》っ青《さお》になって後《あと》ずさった。

目暮警部《めぐれけいぶ》はじりじりと爆弾犯《ばくだんはん》との距離《きょり》を詰《つ》め、圧《あつ》をかけながら推理《すいり》を続《つづ》けた。

「ちなみに、野球場《やきゅうじょう》に偽《にせ》の爆弾《ばくだん》を置《お》かなかったのは、野球《やきゅう》グラウンドを持《も》つ高校《こうこう》から目《め》をそらしたかったから…。まあ油断《ゆだん》してこんな目立《めだ》つ場所《ばしょ》から、双眼鏡《そうがんきょう》で帝丹高校《ていたんこうこう》を見《み》ていた、あんたの負《ま》けだよ…」

歩道橋《ほどうきょう》の手《て》すりギリギリの場所《ばしょ》まで追《お》い詰《つ》められ、爆弾犯《ばくだんはん》の顔《かお》にあきらめの色《いろ》が浮《う》かびかける。その時《とき》、下《した》の道路《どうろ》を、大型《おおがた》バスが走《はし》ってきた。

追《お》い詰《つ》められた爆弾犯《ばくだんはん》は、イチかバチか、歩道橋《ほどうきょう》から飛《と》び降《お》りた。

「しまった!!」

目暮警部《めぐれけいぶ》が、手《て》すりから身《み》を乗《の》り出《だ》して叫《さけ》ぶ。爆弾犯《ばくだんはん》は、運《うん》よくダンッとバスの上《うえ》に着《ちゃく》地《ち》したようだ。このままでは、バスに乗《の》って逃《に》げられてしまう。

佐藤刑事《さとうけいじ》はちゅうちょなく手《て》すりの上《うえ》によじのぼると、真下《ました》を車《くるま》が通過《つうか》するタイミングに合《あ》わせて飛《と》び降《お》りた。

「え？　さ、佐藤《さとう》さん!?」

高木刑事《たかぎけいじ》が驚《おどろ》いて叫《さけ》ぶ。佐藤刑事《さとうけいじ》は、バスの後《あと》から来《き》た乗用車《じょうようしゃ》の上《うえ》に着地《ちゃくち》した。

爆弾犯《ばくだんはん》は、佐藤刑事《さとうけいじ》が追《お》いかけてきたのを見《み》て「ちっ」と舌打《したう》ちをすると、不格好《ぶかっこう》にバスから降《お》りた。そのまま細《ほそ》い路地《ろじ》に入《はい》り、走《はし》って逃《に》げていく。

佐藤刑事《さとうけいじ》は、上着《うわぎ》の内《うち》ポケットに忍《しの》ばせていた銃《じゅう》を取《と》り出《だ》した。（ヤロォ…）と怒《いか》りに燃《も》えた表情《ひょうじょう》で道路《どうろ》へと飛《と》び降《お》り、逃《に》げていく爆弾犯《ばくだんはん》を猛然《もうぜん》と追《お》いかける。

「い、いかん!!」

目暮警部《めぐれけいぶ》は、手《て》すりから身《み》を乗《の》り出《だ》して、うろたえた。

今《いま》の佐藤刑事《さとうけいじ》は、冷静《れいせい》ではない。このままでは感情《かんじょう》に駆《か》られて、必要以上《ひつよういじょう》に爆弾犯《ばくだんはん》を追《お》い詰《つ》めてしまうかもしれない。

(佐藤《さとう》さん!!!)

高木刑事《たかぎけいじ》は、あわてて佐藤刑事《さとうけいじ》の後《あと》を追《お》った。

爆弾犯《ばくだんはん》は路地裏《ろじうら》を必死《ひっし》に逃《に》げたが、すぐに突《つ》き当《あ》たりに行《い》きついて、佐藤刑事《さとうけいじ》に追《お》いつかれてしまった。

ヒュオオオ……

寒風《かんぷう》の吹《ふ》きすさぶ中《なか》、銃《じゅう》を構《かま》えた佐藤刑事《さとうけいじ》と対峙《たいじ》する。

爆弾犯《ばくだんはん》は、気弱《きよわ》そうな細身《ほそみ》の男《おとこ》だ。まっすぐな黒《くろ》い髪《かみ》をだらしなく伸《の》ばし、黒《くろ》ぶちの眼鏡《めがね》をかけている。

「ま、待《ま》て、俺《おれ》じゃないんだ…」

両手《りょうて》をあげながら、爆弾犯《ばくだんはん》はおろおろと言《い》い訳《わけ》を始《はじ》めた。

「ホ、ホラ…よくあるだろ？　頭《あたま》の中《なか》で子供《こども》の声《こえ》がしたんだよ…。け、警察《けいさつ》を殺《ころ》せって…

い、いや、誰《だれ》でもいいから殺《ころ》せって…。そ、そうさ…だから俺《おれ》のせいじゃ…」

（こんな奴《やつ》に…）

佐藤刑事《さとうけいじ》は歯《は》を食《く》いしばり、目《め》に涙《なみだ》をためて、爆弾犯《ばくだんはん》をにらみつけた。この期《ご》に及《およ》んでくだらない言《い》い訳《わけ》を並《なら》べ立《た》てて罪《つみ》から逃《のが》れようとする、こんな男《おとこ》のせいで松田刑事《まつだけいじ》が死《し》んだのかと思《おも》うと、悔《くや》しくてたまらない。

（こんな奴に…こんな奴《やつ》に!!!）

「うあああ！」

叫《さけ》び声《ごえ》をあげながら、佐藤刑事《さとうけいじ》は銃口《じゅうこう》を爆弾犯《ばくだんはん》に向《む》けて、引《ひ》き金《がね》を引《ひ》いた。

ドン!!

銃弾《じゅうだん》が放《はな》たれる――その直前《ちょくぜん》、駆《か》けつけた高木刑事《たかぎけいじ》が、佐藤刑事《さとうけいじ》に抱《だ》きついた。

勢《いきお》いで銃口《じゅうこう》が揺《ゆ》れ、放《はな》たれた銃弾《じゅうだん》は爆弾犯《ばくだんはん》の耳《みみ》のすぐ脇《わき》を通《とお》りぬけて、後《うし》ろのコンクリート壁《へき》にめりこんだ。恐怖《きょうふ》のあまり、爆弾犯《ばくだんはん》は気《き》を失《うしな》って、コテッとその場《ば》に倒《たお》れてしまう。

高木刑事《たかぎけいじ》は、佐藤刑事《さとうけいじ》を抱《だ》きしめたまま、ザッと地面《じめん》に倒《たお》れ込《こ》んだ。

「た、高木君《たかぎくん》…」

高木刑事《たかぎけいじ》は、ハァハァと荒《あら》い息《いき》をつきながら「な、何《なに》やってんですか…」と口《くち》を開《ひら》いた。

「い、いつも佐藤《さとう》さんが言《い》ってるでしょ…。誇《ほこ》りと使命感《しめいかん》を持《も》って国家《こっか》と国民《こくみん》に奉仕《ほうし》し、恐《おそ》れや憎《にく》しみにとらわれずに、いかなる場合《ばあい》も人権《じんけん》を尊重《そんちょう》して公正《こうせい》に警察職務《けいさつしょくむ》を執行《しっこう》しろって…」

「だって、だって…」

「そんなんじゃ、松田刑事《まつだけいじ》に怒《おこ》られちゃいますよ…」

やさしく言《い》われ、佐藤刑事《さとうけいじ》は子供《こども》のように唇《くちびる》を引《ひ》き結《むす》び、涙《なみだ》で濡《ぬ》れた目《め》でじっと高木刑《たかぎけい》事《じ》を見上《みあ》げた。

(バカ…バカバカ…忘《わす》れたいのに…)

「忘《わす》れさせてよ~~!!　バカ~~~~~!!」

泣《な》きじゃくり、感情《かんじょう》をあふれさせながら、佐藤刑事《さとうけいじ》は高木刑事《たかぎけいじ》の胸《むね》に顔《かお》をうずめた。高《たか》木刑事《ぎけいじ》は、そっと佐藤刑事《さとうけいじ》の肩《かた》を抱《だ》くと、

「ダメですよ、忘《わす》れちゃ…」

と、語《かた》りかけた。

「それが大切《たいせつ》な思《おも》い出《で》なら、忘《わす》れちゃダメです…。人《ひと》は死《し》んだら、人《ひと》の思《おも》い出《で》の中《なか》でしか生《い》きられないんですから…」

その言葉《ことば》に、佐藤刑事《さとうけいじ》はハッとした表情《ひょうじょう》になって、顔《かお》を上《あ》げた。

(高木君《たかぎくん》…高木君《たかぎくん》…)

心《こころ》の中《なか》で名前《なまえ》を呼《よ》びながら、高木刑事《たかぎけいじ》の顔《かお》を、そっと両手《りょうて》で包《つつ》みこむ。

「え？」

きょとんとする高木刑事《たかぎけいじ》に、佐藤刑事《さとうけいじ》はゆっくりと自分《じぶん》の顔《かお》を近《ちか》づけた。

二人《ふたり》の唇《くちびる》が近《ちか》づいていき、今《いま》にも触《ふ》れそうになった——その時《とき》。

「おい、何《なん》だ今《いま》の銃声《じゅうせい》は!?」

目暮警部《めぐれけいぶ》がダッと駆《か》けこんできて、佐藤刑事《さとうけいじ》と高木刑事《たかぎけいじ》はあわててパッと離《はな》れた。

何《なに》も知《し》らない目暮警部《めぐれけいぶ》は、地面《じめん》の上《うえ》に倒《たお》れた爆弾犯《ばくだんはん》と、佐藤刑事《さとうけいじ》と高木刑事《たかぎけいじ》の顔《かお》を見比《みくら》べて、「ん？　ん？」と首《くび》をひねった。

「あ、いや…」

高木刑事《たかぎけいじ》は赤面《せきめん》して口《くち》ごもってしまう。

佐藤刑事《さとうけいじ》が、銃声《じゅうせい》について「威嚇《いかく》で一発《いっぱつ》だけ…」と説明《せつめい》すると、目暮警部《めぐれけいぶ》はぎょっとした表情《ひょうじょう》になって、心配《しんぱい》そうに爆弾犯《ばくだんはん》の身体《からだ》を調《しら》べ始《はじ》めた。

「まさか、キズでも負《お》わしたんじゃ…」

「キ、キスなんてしてませんよ!!」

佐藤刑事《さとうけいじ》と高木刑事《たかぎけいじ》は、仲良《なかよ》く声《こえ》をそろえて墓穴《ぼけつ》を掘《ほ》った。キズをキスと聞《き》き間違《まちが》えてしまったのだ。

わけのわからないことを言《い》う二人《ふたり》に、目暮警部《めぐれけいぶ》が「はあ？」と眉《まゆ》をひそめる。佐藤刑事《さとうけいじ》は顔《かお》を赤《あか》くしながら、

「ホラ、さっさと立《た》って…」

と、気絶《きぜつ》したままの爆弾犯《ばくだんはん》の腕《うで》を引《ひ》っ張《ぱ》ってごまかした。


暗号文《あんごうぶん》についての推理《すいり》を警察《けいさつ》に伝《つた》え、コナンは迎《むか》えに来《き》た阿笠博士《あがさはかせ》の運転《うんてん》する車《くるま》に乗《の》っ

て、少年探偵団《しょうねんたんていだん》たちとようやく帰路《きろ》へとついていた。

「しかし、よく止《と》められたもんじゃ…コードを切《き》る時間《じかん》は3秒《びょう》もなかったんじゃろ？」

事件《じけん》のあらましを聞《き》き、阿笠博士《あがさはかせ》はすっかり感心《かんしん》していた。

「まあ元々《もともと》、ヒントの途中《とちゅう》でわかったらすぐに切《き》るつもりで、ペンチ握《にぎ》ってたんだ…。高《たか》木刑事《ぎけいじ》を死《し》なせるわけにはいかなかったし…」

「でもさすがね…。EVIT《イーブイアイティー》だけでディテクティヴの逆《ぎゃく》のつづりだとわかるなんて…」

灰原《はいばら》が言《い》い、阿笠博士《あがさはかせ》も「まったくじゃ！」とうなずく。

（バーロ…わかるに決《き》まってんだろ…）

内心《ないしん》で思《おも》いながら、コナンは自然《しぜん》と、蘭《らん》の顔《かお》を思《おも》い浮《う》かべていた。

（心《こころ》の中《なか》で、そこじゃなきゃいいって、ずーっと思《おも》い続《つづ》けていたんだからよ…）


爆弾犯《ばくだんはん》は無事《ぶじ》に逮捕《たいほ》され、ようやく事件《じけん》を解決《かいけつ》することができた。

本庁《ほんちょう》に戻《もど》って来《き》た目暮警部《めぐれけいぶ》と佐藤刑事《さとうけいじ》、そして高木刑事《たかぎけいじ》は、その足《あし》で、まだ入院中《にゅういんちゅう》の白《しら》鳥刑事《とりけいじ》の様子《ようす》を見《み》に行《い》くことにした。

「おーい、佐藤君《さとうくん》！　白鳥君《しらとりくん》の見舞《みま》いに行《い》くぞー！」

目暮警部《めぐれけいぶ》に声《こえ》をかけられ、佐藤刑事《さとうけいじ》は「あ、はい！」と返事《へんじ》をすると、携帯電話《けいたいでんわ》を取《と》り出《だ》した。

周《まわ》りから見《み》えないよう、そっと一通《いっつう》のメールを開《ひら》く。

11/07　11:59
松田陣平《まつだじんぺい》
米花中央病院《べいかちゅうおうびょういん》

三年前《さんねんまえ》、松田刑事《まつだけいじ》から届《とど》いた最後《さいご》のメールだ。「削除《さくじょ》」のコマンドを選《えら》ぶと、確認画面《かくにんがめん》が表示《ひょうじ》される。

本当《ほんとう》に消《け》しますか？

佐藤刑事《さとうけいじ》は、少《すこ》しだけ名残惜《なごりお》しい気持《きも》ちでメールの文面《ぶんめん》を読《よ》み返《かえ》すと、「YES《イエス》」のボタンを押《お》した。

パッと画面《がめん》が切《き》り替《か》わり、メールが消去《しょうきょ》される。

ずっと消《け》せずにいたこのメールを削除《さくじょ》して、前《まえ》へ進《すす》む気持《きも》ちになれたのは、高木刑事《たかぎけいじ》のおかげだ。松田刑事《まつだけいじ》のことを忘《わす》れてふっきらなければと必死《ひっし》になっていた佐藤刑事《さとうけいじ》に、高《たか》木刑事《ぎけいじ》だけが「忘《わす》れちゃダメです」と言《い》ってくれた。

高木刑事《たかぎけいじ》や目暮警部《めぐれけいぶ》のもとへと歩《あゆ》み寄《よ》りながら、佐藤刑事《さとうけいじ》は心《こころ》の中《なか》で松田刑事《まつだけいじ》に語《かた》りかけた。

(バイバイ、松田君《まつだくん》…。でも忘《わす》れないからね…)

命《いのち》を賭《か》けた恋《れん》愛《あい》中《ちゅう》継《けい》

DETECTIVE CONAN

POLICE SELECTION

「へっくしゅん！」

寒空《さむぞら》の下《もと》、大《おお》きなくしゃみの音《おと》が響《ひび》き渡《わた》る。

高木刑事《たかぎけいじ》は、背広《せびろ》の上《うえ》からアウターを羽織《はお》り、グス…と鼻水《はなみず》をすすりながら、歩道《ほどう》を歩《ある》いていた。

そこへ、パトカーで偶然通《ぐうぜんとお》りかかった由美《ゆみ》が、助手席《じょしゅせき》から身《み》を乗《の》り出《だ》して、

「ちょいと、そこの刑事《けいじ》さん！　これから張《は》り込《こ》み？」

と声《こえ》をかけてきた。運転席《うんてんせき》には、最近警視庁《さいきんけいしちょう》に転属《てんぞく》になった、三池苗子巡査部長《みいけなえこじゅんさぶちょう》の姿《すがた》もある。

「いえ…今日《きょう》は早《はや》めに上《あ》がらせてもらったんです…。これから行《い》かなきゃいけない所《ところ》があるんで…。まぁ、一泊《いっぱく》したら朝《あさ》イチで帰《かえ》ってきますよ…」

泊《と》まりがけの用事《ようじ》と聞《き》いて、由美《ゆみ》はニヤニヤと口元《くちもと》をゆるめた。

「あら、なーに？　温泉《おんせん》に一泊《いっぱく》して、美和子《みわこ》とデートかしらん？」

すると高木刑事《たかぎけいじ》は、すっと真顔《まがお》になって「違《ちが》います…」ときっぱり否定《ひてい》した。

「え？」

「デートじゃありませんよ！」

強《つよ》い口調《くちょう》で否定《ひてい》され、由美《ゆみ》はそれ以上《いじょう》、何《なに》も言《い》えなくなってしまった。


いつもおだやかな高木刑事《たかぎけいじ》が、あんなにムキになって否定《ひてい》するなんて、いったいどんな用事《ようじ》なのだろう。

本庁《ほんちょう》に戻《もど》った由美《ゆみ》は、「一泊《いっぱく》して朝《あさ》イチで帰《かえ》って来《く》る」という高木刑事《たかぎけいじ》の用事《ようじ》について、佐藤刑事《さとうけいじ》に聞《き》いてみた。しかし、佐藤刑事《さとうけいじ》も、高木刑事《たかぎけいじ》の行《い》き先《さき》を知《し》らないという。

「ウソ…美和子《みわこ》も知《し》らないの？　高木君《たかぎくん》の行《い》き先《さき》…」

「ええ…。目暮警部《めぐれけいぶ》には、ある人《ひと》に報告《ほうこく》しなきゃいけない事《こと》があるって言《い》ってたらしいけど…」

高木刑事《たかぎけいじ》の言《い》う「ある人《ひと》」が誰《だれ》なのかすら、佐藤刑事《さとうけいじ》には心当《こころあ》たりがないらしい。

「それって佐藤《さとう》さんの親御《おやご》さんなんじゃないですか？『娘《むすめ》さんをください！』とか…」

茶化《ちゃか》して言《い》う苗子《なえこ》を、佐藤刑事《さとうけいじ》はじとっとした目《め》でにらんだ。

「あのねぇ…それなら何《なん》で私《わたし》に内緒《ないしょ》にしなきゃいけないのよ!? 母《はは》は東京《とうきょう》に住《す》んでるから一泊《いっぱく》する必要《ひつよう》もないし…」

ぶつぶつ言《い》うと、佐藤刑事《さとうけいじ》はふと真顔《まがお》になって苗子《なえこ》の顔《かお》をまじまじと見《み》つめ、

「――って、あなた誰《だれ》だっけ?」

と、気《き》まずそうに聞《き》いた。苗子《なえこ》が警視庁交通部交通課《けいしちょうこうつうぶこうつうか》に転属《てんぞく》になったのはつい最近《さいきん》のことなので、佐藤刑事《さとうけいじ》とは初対面《しょたいめん》に近《ちか》いのだ。

「杯戸署《はいどしょ》から転属《てんぞく》された三池苗子《みいけなえこ》ですよ〜!」

苗子《なえこ》が心外《しんがい》そうに言《い》う。

「でも、その『ある人《ひと》』…目暮警部《めぐれけいぶ》なら聞《き》いてるんじゃない?」

由美《ゆみ》が聞《き》くと、佐藤刑事《さとうけいじ》はぶすっとして首《くび》を振《ふ》った。

「それが、マジで言《い》ってないらしいのよ…。『帰《かえ》って来《き》て、気持《きも》ちが落《お》ち着《つ》いたら話《はな》します』って…」

「何《なん》か怪《あや》しいわねぇ…」

眉《まゆ》をひそめる由美《ゆみ》に、佐藤刑事《さとうけいじ》が「でしょ、でしょ？」と前《まえ》のめりになる。

「まあ色恋沙汰《いろこいざた》じゃないと思《おも》いますよ？　『デートじゃない』ってハッキリ言《い》われてました…」

苗子《なえこ》が取《と》りなすが、佐藤刑事《さとうけいじ》は仏頂面《ぶっちょうづら》のまま「――ったく」とため息《いき》をついた。

「どこの誰《だれ》に何《なん》の報告《ほうこく》をする気《き》か知《し》らないけど…アイツ、ちゃんと覚《おぼ》えてるのかなぁ？　伊達《だて》さんの命日《めいにち》…」

そう言《い》いながら、伊達刑事《だてけいじ》の顔《かお》を思《おも》い浮《う》かべる。

伊達刑事《だてけいじ》は、佐藤刑事《さとうけいじ》より一《ひと》つ年上《としうえ》の先輩《せんぱい》だ。がっしりとした体格《たいかく》で、いつも爪楊枝《つまようじ》を口《くち》にくわえていた。気《き》さくな性格《せいかく》の兄貴肌《あにきはだ》で、高木刑事《たかぎけいじ》のことをとてもかわいがっていた。

「そーいえば、もうすぐ一年《いちねん》になるねぇ…」

由美《ゆみ》がしみじみと言《い》う。

「一緒《いっしょ》に墓参《はかまい》り行《い》きましょうとか言《い》ってたくせに…」

高木刑事《たかぎけいじ》への恨《うら》み節《ぶし》を続《つづ》ける佐藤刑事《さとうけいじ》に、苗子《なえこ》は「誰《だれ》の事《こと》ですか？」と不思議《ふしぎ》そうにたずねた。

「高木君《たかぎくん》の教育係《きょういくがかり》だった刑事《けいじ》よ！」

「殺《ころ》しても死《し》なないようなタフガイだったのに、交通事故《こうつうじこ》に巻《ま》き込《こ》まれてあっさり…」

佐藤刑事《さとうけいじ》と由美《ゆみ》が説明《せつめい》すると、苗子《なえこ》は「へー…」とうなずいた。

「じゃあ、その刑事《けいじ》さんのご両親《りょうしん》に何《なに》か報告《ほうこく》する事《こと》があったんじゃ…」

「いや…伊達《だて》さんの両親《りょうしん》も、東京在住《とうきょうざいじゅう》…。報告《ほうこく》するだけなら、一泊《いっぱく》しないでしょ？」

佐藤刑事《さとうけいじ》が言《い》うと、由美《ゆみ》は深刻《しんこく》そうにあごに手《て》を当《あ》ててつぶやいた。

「…となると、やっぱ女絡《おんながら》みか…」

佐藤刑事《さとうけいじ》が「ム…」と不愉快《ふゆかい》そうに唇《くちびる》を引《ひ》き結《むす》ぶ。

「そーいえば、高木《たかぎ》さんって交通部《こうつうぶ》で人気《にんき》あるんですよねー…」

苗子《なえこ》が余計《よけい》なことを言《い》い、佐藤刑事《さとうけいじ》は「ム〜〜…」とますます不機嫌《ふきげん》になった。

確《たし》かに、高木刑事《たかぎけいじ》は交通課《こうつうか》で慕《した》われている。しかし、佐藤刑事《さとうけいじ》の捜査一課《そうさいっか》での人気《にんき》は、もっと上《うえ》だ。佐藤刑事《さとうけいじ》と高木刑事《たかぎけいじ》の仲《なか》に嫉妬《しっと》している刑事《けいじ》も、一人《ひとり》や二人《ふたり》ではない。

（ま、美和子《みわこ》程《ほど》じゃないけど…）

心《こころ》の中《なか》でつぶやいて、由美《ゆみ》は廊下《ろうか》の奥《おく》の方《ほう》をちらりと見《み》やった。そこには、佐藤刑事《さとうけいじ》の会話《かいわ》を盗《ぬす》み聞《ぎ》きしていた捜査一課《そうさいっか》の刑事《けいじ》たちが固《かた》まっている。

(高木《たかぎ》の野郎《やろう》…)

刑事《けいじ》たちは、嫉妬《しっと》に燃《も》えた表情《ひょうじょう》で、今《いま》ここにいない高木刑事《たかぎけいじ》に恨《うら》みの気持《きも》ちを送《おく》っていた。


その頃《ころ》、高木刑事《たかぎけいじ》は羽田空港《はねだくうこう》にいた。

「ひっくしゅん…」

ターミナルのベンチに座《すわ》っていた高木刑事《たかぎけいじ》は、くしゃみを一《ひと》つすると、(ヤバ…風邪《かぜ》ひいたかな…)と鼻《はな》をすり上《あ》げた。

「19時《じ》35分発《ふんはつ》、鳥取行《とっとりい》き２９９便《びん》にご搭乗《とうじょう》のお客様《きゃくさま》は…」

アナウンスが響《ひび》き渡《わた》る中《なか》、高木刑事《たかぎけいじ》は、胸《むね》ポケットから一冊《いっさつ》の手帳《てちょう》を取《と》り出《だ》した。二月《にがつ》のページを開《ひら》くと、二月七日《にがつなのか》に「両親《りょうしん》にあいさつ」と書《か》かれている。その下《した》には一枚《いちまい》のプリクラが貼《は》られていた。

ポタ…ポタ…

手帳《てちょう》を眺《なが》めながら、高木刑事《たかぎけいじ》は涙《なみだ》を流《なが》した。しばらく無言《むごん》で泣《な》いた後《あと》、ジャケットの袖《そで》で涙《なみだ》をぬぐい、手帳《てちょう》のカバーにしまわれていた指輪《ゆびわ》を取《と》り出《だ》す。

宝石《ほうせき》のついた指輪《ゆびわ》を眺《なが》めながら、高木刑事《たかぎけいじ》は佐藤刑事《さとうけいじ》の顔《かお》を思《おも》い浮《う》かべた。

(佐藤《さとう》さん…オレ…あなたを幸《しあわ》せにする自信《じしん》…無《な》くなりそうです…)


翌日《よくじつ》。

歩美《あゆみ》と光彦《みつひこ》、元太《げんた》は、警視庁《けいしちょう》の前《まえ》にいた。

「ボク達《たち》、少年探偵団《しょうねんたんていだん》もついにやりましたね!! 子供防犯《こどもぼうはん》プロジェクトのパンフレットのモデルになるなんて!」

光彦《みつひこ》が声《こえ》をはずませて言《い》う。今日《きょう》、少年探偵団《しょうねんたんていだん》たちが警視庁《けいしちょう》に来《き》たのは、パンフレットの撮影《さつえい》をするためなのだ。

「オウ! いっぱい事件《じけん》、解決《かいけつ》したからな!」

「どうしよう！　歩美達《あゆみたち》、有名人《ゆうめいじん》になっちゃうよ！」

元太《げんた》と歩美《あゆみ》が、うれしそうに言《い》う。

すると光彦《みつひこ》はふと不安《ふあん》そうな表情《ひょうじょう》になって、地下駐車場《ちかちゅうしゃじょう》の入《い》り口《ぐち》を見《み》つめた。

「でも博士《はかせ》、大丈夫《だいじょうぶ》でしょうか？　駐車場《ちゅうしゃじょう》に車《くるま》を停《と》めたら、すぐ来《く》るって言《い》ってましたけど…」

元太《げんた》と歩美《あゆみ》も、「すげーゴホゴホ咳《せき》してたよな？」「カゼかなぁ？」と心配《しんぱい》そうに眉《まゆ》をひそめた。

「それに高木刑事《たかぎけいじ》も、遅《おそ》いですよね…。警視庁《けいしちょう》に着《つ》いたら、担当《たんとう》の広報課《こうほうか》に案内《あんない》するから電話《でんわ》くれって言《い》ってたのに…全然《ぜんぜん》つながりませんし…」

光彦《みつひこ》が、携帯電話《けいたいでんわ》をいじりながらボヤいた。阿笠博士《あがさはかせ》の運転《うんてん》する車《くるま》でここに着《つ》いてから、何度《なんど》も高木刑事《たかぎけいじ》の携帯電話《けいたいでんわ》に連絡《れんらく》を入《い》れているのだが、いまだに応答《おうとう》がないのだ。

「ひょっとしたらまたイチャイチャしてんじゃねーか？」

元太《げんた》が茶化《ちゃか》して言《い》うと、歩美《あゆみ》も「あの時《とき》みたいにチューしてたりして♡」と楽《たの》しそうな表情《ひょうじょう》を浮《う》かべた。

「いくら高木刑事《たかぎけいじ》でも、勤務中《きんむちゅう》にそれはないですよ！」

光彦《みつひこ》がやんわりと言《い》うが、その表情《ひょうじょう》は完全《かんぜん》にニヤけている。

実《じつ》は、少年探偵団《しょうねんたんていだん》は以前《いぜん》、佐藤刑事《さとうけいじ》と高木刑事《たかぎけいじ》がキスをしている現場《げんば》を目撃《もくげき》したことがあるのだ。ある事件《じけん》の捜査中《そうさちゅう》、高木刑事《たかぎけいじ》が拳銃《けんじゅう》で左胸《ひだりむね》を撃《う》たれてしまった時《とき》のことだ。銃《じゅう》弾《だん》はたまたま胸《むね》ポケットに入《い》れていた麻雀牌《マージャンパイ》に当《あ》たったため、軽傷《けいしょう》で済《す》んだが、念《ねん》のため警察病院《けいさつびょういん》に運《はこ》ばれて入院《にゅういん》することになった。そして、お見舞《みま》いにやってきた佐藤刑事《さとうけいじ》から、「ごほうび」としてキスをされたのだ。その様子《ようす》は、少年探偵団《しょうねんたんていだん》たちにバッチリ見《み》られていた。

もしかしたら高木刑事《たかぎけいじ》と連絡《れんらく》がつかないのは、佐藤刑事《さとうけいじ》とイチャついているからかもしれない――と、三人《さんにん》がはしゃいでいると、

「おや…君達《きみたち》、高木渉刑事《たかぎわたるけいじ》と知《し》り合《あ》いかね？」

ハンチング帽《ぼう》をかぶった男《おとこ》が、声《こえ》をかけてきた。

「え、ええ…」

光彦《みつひこ》がうなずくと、男《おとこ》は小《ちい》さな四角《しかく》い包《つつ》みを取《と》り出《だ》した。

「丁度《ちょうど》よかった…彼《かれ》から贈《おく》り物《もの》を預《あず》かっていてね…。彼《かれ》の恋人《こいびと》の先輩刑事《せんぱいけいじ》に、コレを渡《わた》して欲《ほ》しいんだよ…」

「ああ…今話《いまはな》してた、佐藤刑事《さとうけいじ》の事《こと》ですね！」

「ホゥ…。その女刑事《おんなけいじ》さんとも知《し》り合《あ》いなのかい？」

光彦《みつひこ》は差《さ》し出《だ》された包《つつ》みを受《う》け取《と》りながら「ええ…」とうなずいた。

「鬼《おに》みてーに強《つよ》くておっかねえけどよ…」

「とーっても美人《びじん》さんなんだよ！」

と、元太《げんた》と歩美《あゆみ》も、口々《くちぐち》に佐藤刑事《さとうけいじ》について説明《せつめい》する。

「ありゃーもうすぐ結婚《けっこん》しちまうんじゃねーか？」

「ですね！」

「ラブラブだもんね♡」

子供《こども》たちが高木刑事《たかぎけいじ》と佐藤刑事《さとうけいじ》についてウワサするのを、男《おとこ》は「……」と無言《むごん》で聞《き》き、おもむろに口《くち》を開《ひら》いた。

「では…その幸《しあわ》せな女刑事《おんなけいじ》さんに…彼《かれ》からの伝言《でんごん》だ…。『それは生《なま》モノだから早《はや》めに開《あ》けてくれ…遅《おそ》くとも明日《あした》、明後日《あさって》にはダメになってしまうから』と…。」

その時《とき》、「おーい！」と、駐車場《ちゅうしゃじょう》の方《ほう》からコナンが走《はし》ってきた。

「あ、コナン君《くん》！」

歩美《あゆみ》が反応《はんのう》すると、男《おとこ》は「じゃあ、よろしく頼《たの》んだよ…」と言《い》い残《のこ》し、くるりと背《せ》を向《む》けて去《さ》っていってしまった。

「ん？　何《なん》だよ、あの人《ひと》…」

コナンが男《おとこ》に気付《きづ》いて聞《き》くと、光彦《みつひこ》は受《う》け取《と》った包《つつ》みを手《て》にしたまま「高木刑事《たかぎけいじ》の知《し》り合《あ》いみたいです！」と説明《せつめい》した。

「それより博士《はかせ》と灰原《はいばら》は？」

「やっぱ博士《はかせ》、風邪《かぜ》みてーでよ…。灰原《はいばら》付《つ》けてビートルで家《いえ》に帰《かえ》らせたよ…」

元太《げんた》の質問《しつもん》にコナンが答《こた》えると、歩美《あゆみ》は「えー―っ!?」と目《め》を丸《まる》くした。ここに来《く》る途《と》中《ちゅう》で咳《せき》をしていた阿笠博士《あがさはかせ》のことを心配《しんぱい》していたが、まさか途中《とちゅう》で帰《かえ》ってしまうほどひどいとは思《おも》わなかったのだ。

心配《しんぱい》そうな少年探偵団《しょうねんたんていだん》たちを見《み》て、コナンは少《すこ》し罪悪感《ざいあくかん》をおぼえた。

（まぁ…博士《はかせ》は仮病《けびょう》…。最初《さいしょ》から元太達《げんたたち》をここへ送《おく》ったら、灰原連《はいばらつ》れて帰《かえ》らせるつもりだったよ…。灰原《はいばら》の写真《しゃしん》をパンフレットに載《の》せるわけにはいかねぇからな…）

灰原《はいばら》の写真《しゃしん》がパンフレットに載《の》り、組織《そしき》の連中《れんちゅう》に見《み》られでもしたら、薬《くすり》で小《ちい》さくなっていることがバレてしまうかもしれない。一緒《いっしょ》に写《うつ》った少年探偵団《しょうねんたんていだん》たちも危険《きけん》にさらしてしまうだろう。

「じゃあ灰原《はいばら》さん抜《ぬ》きですか…。残念《ざんねん》です…」

光彦《みつひこ》が、がっかりした表情《ひょうじょう》で言《い》う。

その時《とき》、ちょうど警視庁《けいしちょう》の中《なか》から出《で》てきた男《おとこ》が、

「僕《ぼく》も残念《ざんねん》だよ…」

とコナンたちに声《こえ》をかけてきた。毛利探偵事務所《もうりたんていじむしょ》の一階《いっかい》にある喫茶店《きっさてん》で働《はたら》いている、探《たん》偵《てい》の安室透《あむろとおる》だ。

「せっかく噂《うわさ》の阿笠博士《あがさはかせ》に会《あ》えると思《おも》ったのにね…」

そう言《い》いながらこちらに向《む》かって歩《ある》いてくる安室《あむろ》の姿《すがた》を見《み》て、コナンは「あ、安室《あむろ》さん…」ととまどったように目《め》をしばたたいた。

「毛利先生《もうりせんせい》から聞《き》いてたんだ…今日《きょう》、君達少年探偵団《きみたちしょうねんたんていだん》が阿笠博士《あがさはかせ》の車《くるま》で警視庁《けいしちょう》にパンフレットの撮影《さつえい》をしに行《い》くって…。丁度《ちょうど》、僕《ぼく》も警視庁《けいしちょう》に来《く》るように言《い》われてたから…もう終《お》わったけど…」

「え？　何《なん》で呼《よ》ばれたの？」

「この前《まえ》、君《きみ》を誘拐《ゆうかい》した犯人《はんにん》が乗《の》った車《くるま》に僕《ぼく》の車《くるま》をぶつけて止《と》めた、あの一件《いっけん》さ…。やり過《す》ぎだったんじゃないかって、再度事情《さいどじじょう》を聞《き》かれたんだ…」

安室《あむろ》の言《い》う一件《いっけん》とは、コナンが殺人犯《さつじんはん》に車《くるま》で誘拐《ゆうかい》されてしまった事件《じけん》のことだ。コナンと殺人犯《さつじんはん》は、別《べつ》の事件《じけん》の強盗犯《ごうとうはん》に銃《じゅう》で脅《おど》されて、車《くるま》を乗《の》っ取《と》られてしまった。その際《さい》、安《あ》室《むろ》が愛車《あいしゃ》のＲＸ《アールエックス》―７《セブン》をコナンたちの乗《の》っている車《くるま》にぶつけて無理《むり》やり停止《ていし》させた。そこへ高校生探偵《こうこうせいたんてい》の世良真純《せらますみ》がバイクで駆《か》け付《つ》け、犯人《はんにん》を気絶《きぜつ》させてコナンを助《たす》け出《だ》したのだった。

（そーいやぁ、世良《せら》も警視庁《けいしちょう》にまた呼《よ》び出《だ》されて事情聴取《じじょうちょうしゅ》されたって言《い》ってたな…。アイツの場合《ばあい》は１００％《パーセント》やり過《す》ぎだけど…）

コナンが事件当時《じけんとうじ》のことを思《おも》い出《だ》していると、安室《あむろ》は、

「まぁ、ここに来《き》たのは、別《べつ》の用《よう》があったのもあるけど…」

と言《い》いながら、子供《こども》たちに背《せ》を向《む》けた。

その背中《せなか》に向《む》かって、コナンが「別《べつ》の用《よう》って？」と聞《き》く。

「あ…気《き》にしないでくれ…。もう用《よう》は無《な》くなったから…」

意味深《いみしん》に言葉《ことば》をにごすと、安室《あむろ》は去《さ》っていってしまった。

「おいコナン…誰《だれ》だよ？　あの兄《にい》ちゃん…」

「刑事《けいじ》さんですか？」

元太《げんた》と光彦《みつひこ》が口々《くちぐち》に聞《き》く。

「小五郎《こごろう》のおっちゃんに弟子入《でしい》りした探偵《たんてい》だよ！」

コナンが答《こた》えると、元太《げんた》は、

「た、探偵《たんてい》かよ？」

と、眉《まゆ》をひそめた。その隣《となり》で、歩美《あゆみ》は安室《あむろ》の背中《せなか》を見《み》つめながら「イケメンさんだね♡」

と赤面《せきめん》した。確《たし》かに安室《あむろ》は容姿端麗《ようしたんれい》で、喫茶《きっさ》ポアロでも女性客《じょせいきゃく》から大人気《だいにんき》だ。

「それより高木刑事《たかぎけいじ》、来《き》てないのか？　出迎《でむか》えてくれる約束《やくそく》だったよな？」

「それが、忘《わす》れてるみたいなんです…。電話《でんわ》もつながらないし…」

光彦《みつひこ》が言《い》うと、コナンは携帯《けいたい》を取《と》り出《だ》した。

「んじゃ、千葉刑事《ちばけいじ》にでも電話《でんわ》してみっか…」

「あ、だったらよー！」

「佐藤刑事《さとうけいじ》に電話《でんわ》して！」

「生《なま》モノみたいですし…」

元太《げんた》、歩美《あゆみ》、光彦《みつひこ》が、男《おとこ》から受《う》け取《と》った包《つつ》みを見《み》せながら口々《くちぐち》に言《い》う。

わけがわからず、コナンは「？」と首《くび》をひねった。


その頃《ころ》、佐藤刑事《さとうけいじ》は、警視庁内《けいしちょうない》で千葉刑事《ちばけいじ》と一緒《いっしょ》にいた。

千葉刑事《ちばけいじ》は、昨日《きのう》、仕事《しごと》を上《あ》がる前《まえ》の高木刑事《たかぎけいじ》を目撃《もくげき》していたらしい。その時《とき》の高木刑事《たかぎけいじ》の様子《ようす》を聞《き》くなり、佐藤刑事《さとうけいじ》は血相《けっそう》を変《か》えて叫《さけ》んだ。

「えぇえっ!?　高木君《たかぎくん》が手帳《てちょう》に貼《は》ったプリクラ見《み》ながら涙《なみだ》ぐんでた!?」

佐藤刑事《さとうけいじ》の勢《いきお》いに気《け》おされつつ、千葉刑事《ちばけいじ》は「あ、はい…」とうなずいた。

「パッと見《み》かわいい感《かん》じのプリクラだったので…。『そのプリクラ、佐藤《さとう》さんですか？』って聞《き》いたら…『ふざけた事言《ことい》うな!!』──ってマジギレされて…」

「ふ、ふざけた事《こと》ォ？」

佐藤刑事《さとうけいじ》が、怒《いか》りの形相《ぎょうそう》で千葉刑事《ちばけいじ》をにらむ。

千葉刑事《ちばけいじ》は真《ま》っ青《さお》になりながら、しどろもどろに弁明《べんめい》した。

「さ、佐藤《さとう》さんに言《い》わなきゃって思《おも》ったんですけど…訳《わけ》は自分《じぶん》で話《はな》すからって口止《くちど》めされてて…」

佐藤刑事《さとうけいじ》は「ねぇ！　高木君《たかぎくん》どこ？」と、近《ちか》くにいた白鳥刑事《しらとりけいじ》に八《や》つ当《あ》たり気味《ぎみ》に聞《き》いた。

「さぁ…。今日《きょう》はまだ見《み》てませんが…」

その時《とき》、ピリリ…ピリリ…と佐藤刑事《さとうけいじ》の携帯《けいたい》の着信音《ちゃくしんおん》が鳴《な》り始《はじ》めた。佐藤刑事《さとうけいじ》は携帯《けいたい》を取《と》り出《だ》すと、発信相手《はっしんあいて》も確認《かくにん》しないまま「はい…もしもし？」と、投《な》げやりに電話《でんわ》に出《で》た。

「え？　コナン君《くん》？」

コナンが佐藤刑事《さとうけいじ》に電話《でんわ》をかけたのは、男《おとこ》から預《あず》かった包《つつ》みを渡《わた》すためだ。警視庁《けいしちょう》の中《なか》に入《い》れてもらったコナンたちは、包《つつ》みを受《う》け取《と》った経緯《けいい》について佐藤刑事《さとうけいじ》に説明《せつめい》した。

「た、高木君《たかぎくん》が私《わたし》に…贈《おく》り物《もの》？　その知《し》らないおじさんがそう言《い》ってたのね？」

佐藤刑事《さとうけいじ》に聞《き》かれ、歩美《あゆみ》は「うん！」と元気《げんき》よくうなずいた。

「これです！」

光彦《みつひこ》が包《つつ》みを差《さ》し出《だ》す。

「何《なん》なのよもォ〜〜〜、仕事《しごと》にも来《こ》ないで…」

ブツブツ言《い》いながら、佐藤刑事《さとうけいじ》はビリッと乱暴《らんぼう》に包《つつ》み紙《がみ》を破《やぶ》った。

「高木刑事《たかぎけいじ》、まだ来《き》てないんだ…」

コナンが意外《いがい》そうにつぶやく。まだ仕事《しごと》に来《き》ていないということは、高木刑事《たかぎけいじ》はコナンたちとの約束《やくそく》を忘《わす》れてしまったのだろうか。

「生《なま》モノだから明日《あした》か明後日《あさって》までに早《はや》く食《く》えって言《い》ってたぞ！」

元太《げんた》が説明《せつめい》するが、佐藤刑事《さとうけいじ》が箱《はこ》を開《あ》けると、中《なか》に入《はい》っていたのは食《た》べ物《もの》ではなかった。

「でも、食《た》べられそうには見《み》えないわよ…」

そう言《い》いながら佐藤刑事《さとうけいじ》が取《と》り出《だ》した箱《はこ》の中身《なかみ》を見《み》て、コナンは（タブレット端末《たんまつ》…）と驚《おどろ》いた。どうして男《おとこ》は、中身《なかみ》は生《なま》モノだなどとウソをついたのだろう。

「じゃあビデオレターかもしれないね！」

歩美《あゆみ》が期待《きたい》したような表情《ひょうじょう》で言《い》う。

「え？」

「きっと、直接言《ちょくせつい》うのが恥《は》ずかしいんですよ！　高木刑事《たかぎけいじ》シャイですから…」

光彦《みつひこ》の言葉《ことば》に、佐藤刑事《さとうけいじ》は「――ったく」と少《すこ》し照《て》れながら、カチッとタブレット端末《たんまつ》の電源《でんげん》を入《い》れた。

「言《い》いたい事《こと》があるんなら…直接言《ちょくせつい》いなさいよ…」

口《くち》ではぶつぶつ言《い》いつつも、どことなくうれしそうだ。

しかし、タブレット端末《たんまつ》に映《うつ》し出《だ》されたのはビデオレターではなかった。

屋外《おくがい》で、板《いた》の上《うえ》に寝《ね》かされている、高木刑事《たかぎけいじ》の映像《えいぞう》だ。口《くち》にガムテープを貼《は》られ、動《うご》けないように胴体《どうたい》を縛《しば》られて、首《くび》には輪《わ》っかになったロープを回《まわ》されている。

「!? た、高木君《たかぎくん》!?」

佐藤刑事《さとうけいじ》は動揺《どうよう》して、タブレット端末《たんまつ》の画面《がめん》を凝視《ぎょうし》した。高木刑事《たかぎけいじ》は、目《め》を閉《と》じたまま動《うご》かない。

「高木刑事《たかぎけいじ》、寝《ね》てるみたい…」

歩美《あゆみ》が、画面《がめん》をのぞきこんでつぶやく。

「ど、どこよ、ここ!?」

「ブルーシートが張《は》ってあるから、どこかの建築現場《けんちくげんば》かも…」

コナンが、背景《はいけい》の様子《ようす》を確認《かくにん》して言《い》う。見《み》ると確《たし》かに、背景《はいけい》には、ブルーシートや足場《あしば》などが映《うつ》りこんでいた。

「首《くび》に縄《なわ》が巻《ま》いてあるよ!」

「逃《に》げねぇようにだな!」

歩美《あゆみ》と元太《げんた》が、ロープに気付《きづ》いて言《い》う。

「でも縛《しば》られて寝《ね》かされてるだけなら…」

と、光彦《みつひこ》が画面《がめん》をのぞきこむと、カメラのアングルが切《き》り替《か》わった。

「あ…」

「変《か》わったぞ…」

「ええ…。アングルが違《ちが》うカメラに…」

先《さき》ほどまでは、眠《ねむ》る高木刑事《たかぎけいじ》の顔《かお》を真横《まよこ》から映《うつ》していたが、今度《こんど》は下《した》からのアングルだ。

高木刑事《たかぎけいじ》が寝《ね》かされている板《いた》は、4階以上《かいいじょう》の高《たか》さにあるようだった。さらに、板《いた》の横幅《よこはば》は高木刑事《たかぎけいじ》の肩幅《かたはば》より狭《せま》く、少《すこ》しでも身動《みうご》きしたらすぐに落《お》ちてしまいそうだ。

「ちょ…ちょっと!!　このまま寝返《ねがえ》り打《う》って落《お》ちたら…」

佐藤刑事《さとうけいじ》がタブレット端末《たんまつ》を握《にぎ》りしめて叫《さけ》び、コナンも（首《くび》が吊《つ》られて…アウトだ!!）と戦慄《せんりつ》した。高木刑事《たかぎけいじ》の首《くび》に巻《ま》かれたロープは、足場《あしば》の柱《はしら》にくくりつけられているので、高木刑事《たかぎけいじ》がもしも板《いた》から落《お》ちたら、そのまま首吊《くびつ》り状態《じょうたい》になってしまうだろう。

「起《お》きなさい、高木君《たかぎくん》!!　起《お》きて状況《じょうきょう》を把握《はあく》して!!　高木君《たかぎくん》!?」

佐藤刑事《さとうけいじ》は、タブレット端末《たんまつ》に向《む》かって必死《ひっし》に叫《さけ》んだ。

「高木君《たかぎくん》!?　高木君《たかぎくん》!?」

すると思《おも》いが通《つう》じたのか、高木刑事《たかぎけいじ》がうっすらと目《め》を開《あ》けた。すぐに自分《じぶん》の置《お》かれた状《じょう》況《きょう》に気《き》づき、(え？) と一気《いっき》に目《め》を覚《さ》ます。

「た、高木君《たかぎくん》!!」

佐藤刑事《さとうけいじ》や歩美《あゆみ》、光彦《みつひこ》が、ひとまずほっとした表情《ひょうじょう》を浮《う》かべる。目《め》を覚《さ》ましたのなら、眠《ねむ》っている間《あいだ》に寝返《ねがえ》りを打《う》って板《いた》から落《お》ちる心配《しんぱい》はなさそうだ。


高木刑事《たかぎけいじ》は、首《くび》を少《すこ》しだけ動《うご》かして、周《まわ》りの様子《ようす》を確認《かくにん》した。

(えーっと…どこ？　ここ…)

ヒュオオオ……

風《かぜ》が容赦《ようしゃ》なく吹《ふ》き付《つ》ける中《なか》、高木刑事《たかぎけいじ》は背広一枚《せびろいちまい》で、真冬《まふゆ》の冷《つめ》たい空気《くうき》にさらされていた。

(落《お》ち着《つ》け…。考《かんが》えろ、思《おも》い出《だ》せ…。こーなったいきさつを…。確《たし》か昨夜《ゆうべ》…あの人《ひと》に会《あ》って…見《み》せたい景色《けしき》があるって言《い》われてここに連《つ》れてこられて…そうしたら急《きゅう》に後《うし》ろから薬《くすり》を…）

高木刑事《たかぎけいじ》は東京《とうきょう》から飛行機《ひこうき》でこの場所《ばしょ》へやってきて、光彦《みつひこ》に包《つつ》みを渡《わた》したあの男《おとこ》に会《あ》っていた。それからこの工事現場《こうじげんば》に連《つ》れてこられ、薬《くすり》をしみこませた布《ぬの》を口《くち》に当《あ》てられて、そのまま意識《いしき》を失《うしな》ってしまった。

そして、目《め》が覚《さ》めたら、こんな状況《じょうきょう》になっていたのだ。

（でも何《なん》で…？　ま、まさかあの人《ひと》…オレの事《こと》を…）

あの男《おとこ》は、高木刑事《たかぎけいじ》のことを殺《ころ》すつもりなのだろうか？

目《め》の前《まえ》には、一台《いちだい》のカメラが設置《せっち》されている。今《いま》の高木刑事《たかぎけいじ》の状況《じょうきょう》は、動画《どうが》に撮《と》られてどこかに配信《はいしん》されているのだろうと見当《けんとう》がついた。

（――って事《こと》は、このカメラの映像《えいぞう》は…警視庁《けいしちょう》に…）


佐藤刑事《さとうけいじ》はすぐさま、高木刑事《たかぎけいじ》の状況《じょうきょう》を目暮警部《めぐれけいぶ》に報告《ほうこく》した。

「何《なに》ィ!?　高木君《たかぎくん》が何者《なにもの》かに拉致《らち》されただとォ!?　本当《ほんとう》かね、それは!?」

目暮警部《めぐれけいぶ》の大声《おおごえ》を聞《き》いて、白鳥刑事《しらとりけいじ》や千葉刑事《ちばけいじ》、そして捜査一課《そうさいっか》の刑事《けいじ》たちが、バタバタと集《あつ》まってくる。

「はい！　その映像《えいぞう》がこれです!!」

佐藤刑事《さとうけいじ》は、目暮警部《めぐれけいぶ》にタブレット端末《たんまつ》の映像《えいぞう》を見《み》せた。板《いた》の上《うえ》に寝《ね》かされた高木刑事《たかぎけいじ》の様子《ようす》を、真上《まうえ》から撮《と》った映像《えいぞう》が映《うつ》し出《だ》されている。

「た、高木君《たかぎくん》…」

目暮警部《めぐれけいぶ》がつぶやくと同時《どうじ》に、パッと映像《えいぞう》が切《き》り替《か》わった。今度《こんど》は、真上《まうえ》ではなく、真《ま》横《よこ》からのアングルだ。

「ん？　カメラが切《き》り替《か》わった？」

「カメラは恐《おそ》らく3台《だい》！　正面《しょうめん》、真横《まよこ》、下《した》からあおった3つのアングルの映像《えいぞう》がランダムで流《なが》れているようです！」

佐藤刑事《さとうけいじ》が説明《せつめい》すると、目暮警部《めぐれけいぶ》は「映像《えいぞう》の発信元《はっしんもと》はわかるかね？」と、そばにいた白《しら》鳥刑事《とりけいじ》に確認《かくにん》した。

「ええ…サイバー犯罪対策課《はんざいたいさくか》に任《まか》せれば…」

「すぐには無理《むり》だと思《おも》うよ！」

急《きゅう》に口《くち》を挟《はさ》まれ、目暮警部《めぐれけいぶ》は「コ、コナン君《くん》!?」と驚《おどろ》いて振《ふ》り返《かえ》った。

「そのタブレット端末《たんまつ》で操作《そうさ》できるのは、表面《ひょうめん》についてる映像《えいぞう》をつけたり切《き》ったりするボタンだけ…それ以外《いがい》のタッチパネルや電源《でんげん》ボタンや、充電《じゅうでん》するコネクターまで、使《つか》えないようにされてるから…」

「でもね、コナン君《くん》…。いくら操作《そうさ》できなくても…このタブレットを解体《かいたい》すれば、内蔵部《ないぞうぶ》から直接充電《ちょくせつじゅうでん》できるし…中《なか》のハードディスクからデータを抜《ぬ》き取《と》れば、どこから情報《じょうほう》を受《う》けていたかぐらいはわかるんじゃ…」

「解体《かいたい》したせいで、高木刑事《たかぎけいじ》の映像《えいぞう》が見《み》られなくなったらどーするの？」

コナンに指摘《してき》され、白鳥刑事《しらとりけいじ》は「え？」と言葉《ことば》に詰《つ》まった。

「相手《あいて》はボタンを改造《かいぞう》したり、タッチパネルとかの機能《きのう》を全《すべ》て無効《むこう》にするプログラムを仕《し》込《こ》んでるんだよ？　解体《かいたい》したら映像《えいぞう》が遮断《しゃだん》され、二度《にど》と立《た》ち上《あ》がらない仕掛《しか》けぐらいしてると考《かんが》えた方《ほう》がいいよ…。まぁ、そんなリスクを負《お》わずに、そのタブレットが通信《つうしん》を受《う》けてる回線業者《かいせんぎょうしゃ》から辿《たど》って行《い》く手《て》もあるけど…この手《て》の犯罪者《はんざいしゃ》は大抵海外《たいていかいがい》のサーバーを経由《けいゆ》してるから…短時間《たんじかん》で発信元《はっしんもと》を割《わ》り出《だ》すのは多分無理《たぶんむり》だと思《おも》う…」

コナンがぺらぺらと説明《せつめい》するので、佐藤刑事《さとうけいじ》と白鳥刑事《しらとりけいじ》と目暮警部《めぐれけいぶ》はすっかり押《お》し黙《だま》ってしまった。三人《さんにん》とも、なぜ小学生《しょうがくせい》がこんなことを知《し》っているのかと問《と》いたげな表情《ひょうじょう》だ。

「――って、さっき新一兄《しんいちにい》ちゃんに電話《でんわ》で相談《そうだん》したら教《おし》えてくれたんだ！」

と、コナンはあわてて付《つ》け加《くわ》えて、ごまかした。

「しかし、時間《じかん》をかければ割《わ》り出《だ》せる可能性《かのうせい》があるんなら…」

「でも期限《きげん》は明日《あした》か明後日《あさって》みたいだよ？」

コナンにさえぎって言《い》われ、目暮警部《めぐれけいぶ》は「あ、明日《あした》か明後日《あさって》!?」と目《め》を見張《みは》った。

「そのタブレットを元太達《げんたたち》に渡《わた》したおじさんが言《い》ってたらしいんだ…。『それは生《なま》モノだから早《はや》めに開《あ》けろ…明日《あした》か明後日《あさって》にはダメになってしまうから』って…」

「ど、どういう事《こと》だね!?」

「恐《おそ》らく…縛《しば》られたあの状態《じょうたい》で放置《ほうち》され続《つづ》けたら…」

「飲《の》まず食《く》わずで3日《か》で限界《げんかい》が来《く》る…。つまり明後日《あさって》いっぱいってわけですね…」

当惑《とうわく》する目暮警部《めぐれけいぶ》に、白鳥刑事《しらとりけいじ》と千葉刑事《ちばけいじ》が口々《くちぐち》に言《い》う。

期限《きげん》が三日《みっか》となれば、映像《えいぞう》の発信元《はっしんもと》を割《わ》り出《だ》すのは不可能《ふかのう》だろう。そして、明後日《あさって》までに高木刑事《たかぎけいじ》の居場所《いばしょ》を特定出来《とくていでき》なければ、高木刑事《たかぎけいじ》は死《し》んでしまうということだ。

「で、でも、何《なん》で高木君《たかぎくん》がこんな目《め》に…」

佐藤刑事《さとうけいじ》が、タブレットの映像《えいぞう》を見《み》つめて言《い》うと、「彼《かれ》はあまり人《ひと》に恨《うら》まれるタイプじゃないんですが…」と白鳥刑事《しらとりけいじ》も首《くび》をひねった。

「刑事《けいじ》は恨《うら》まれてなんぼの商売《しょうばい》…どこで恨《うら》みを買《か》うかは、わかりはせんよ…」

低《ひく》い声《こえ》で口《くち》を挟《はさ》んできたのは、松本管理官《まつもとかんりかん》だ。

「ま、松本管理官《まつもとかんりかん》!!」

「目暮《めぐれ》…高木《たかぎ》が昨夜《ゆうべ》、誰《だれ》かに会《あ》う為《ため》にどこかに一泊《いっぱく》すると言《い》っていたのは、本当《ほんとう》か？」

「ええ！　モノレールの時間《じかん》を気《き》にしていたので…恐《おそ》らく羽田空港《はねだくうこう》に向《む》かったものと…」

「じゃあ羽田《はねだ》に連絡《れんらく》して、昨夜《ゆうべ》の乗客《じょうきゃく》に『タカギ・ワタル』の名前《なまえ》がないか問《と》い合《あ》わせろ!!」

松本管理官《まつもとかんりかん》に言《い》われ、目暮警部《めぐれけいぶ》は「わかりました！」とうなずいた。松本管理官《まつもとかんりかん》は、続《つづ》けててきぱきと指示《しじ》を出《だ》していく。

「白鳥《しらとり》！　お前《まえ》は高木《たかぎ》の住居《じゅうきょ》へ行《い》き、パソコンのメールや郵便物《ゆうびんぶつ》をチェックし…高木《たかぎ》が会《あ》おうとしていた人物《じんぶつ》を探《さぐ》れ！」

「はい！」

「千葉《ちば》はタブレットの映像《えいぞう》の監視《かんし》だ!!」

「あ、はい！」

「つけっ放《ぱな》しにするなよ！　充電《じゅうでん》ができんという事《こと》は、映像《えいぞう》が見《み》られる時間《じかん》は10時間《じかん》足《た》らず…。1時間《じかん》ごとに10分《ぷん》だけつけて、その映像《えいぞう》をビデオに録《と》りながらチェックするんだ！　その場所《ばしょ》を特定《とくてい》する何《なに》かを、見《み》つける為《ため》にな!!」

「わ、わかりました!!　すぐに準備《じゅんび》を!!」

千葉刑事《ちばけいじ》がうなずくと、佐藤刑事《さとうけいじ》も指示《しじ》を求《もと》めて「か、管理官《かんりかん》！　私《わたし》は…」と松本管理《まつもとかんり》官《かん》に歩《あゆ》み寄《よ》った。

「佐藤《さとう》は、別室《べっしつ》で待機《たいき》させてる子供達《こどもたち》の事情聴取《じじょうちょうしゅ》だ！　なにしろ、被疑者《ひぎしゃ》に接触《せっしょく》した大切《たいせつ》な証人《しょうにん》だ！　被疑者《ひぎしゃ》の容姿《ようし》はもちろん…癖《くせ》や言葉遣《ことばづか》いにいたるまで、残《のこ》らず聞《き》き出《だ》せ!!」

そう言《い》うと、残《のこ》っている刑事《けいじ》たちを見《み》まわして、松本管理官《まつもとかんりかん》はさらに声《こえ》を張《は》り上《あ》げた。

「残《のこ》った者《もの》は、高木《たかぎ》が今《いま》までに関《かか》わった事件《じけん》を隅《すみ》から隅《すみ》まで洗《あら》え!!　被疑者《ひぎしゃ》、被害者《ひがいしゃ》を問《と》わず全《すべ》てだぞ!!」

「はい!!!」

刑事《けいじ》たちは、声《こえ》をそろえて返事《へんじ》をすると、ダッと部屋《へや》を後《あと》にした。目暮警部《めぐれけいぶ》や白鳥刑事《しらとりけいじ》も、一緒《いっしょ》になって出《で》ていく。しかし佐藤刑事《さとうけいじ》は、机《つくえ》の上《うえ》に置《お》かれたタブレット端末《たんまつ》を見《み》つめたまま、動《うご》こうとしない。

「佐藤刑事《さとうけいじ》、行《い》こ！」

コナンにうながされ、佐藤刑事《さとうけいじ》はようやくタブレット端末《たんまつ》の電源《でんげん》ボタンに指《ゆび》を伸《の》ばした。

(絶対《ぜったい》…絶対《ぜったい》、助《たす》けるから…。待《ま》っててね…高木君《たかぎくん》!!)

画面《がめん》の中《なか》の高木刑事《たかぎけいじ》に向《む》かって呼《よ》びかけながら、佐藤刑事《さとうけいじ》はカチッとボタンを押《お》して電《でん》源《げん》を切《き》った。


その頃《ころ》、高木刑事《たかぎけいじ》は、縛《しば》られた姿勢《しせい》のまま首《くび》を伸《の》ばして、板《いた》の下《した》の様子《ようす》を確認《かくにん》していた。

(なるほど…そういう事《こと》か…。だからあの人《ひと》…オレをこんな場所《ばしょ》に…)

何《なに》かを察《さっ》すると、高木刑事《たかぎけいじ》は上半身《じょうはんしん》を起《お》こした。

（だったらちょっと怖《こわ》いけど…。やるしかない‼）

意《い》を決《けっ》して、グルンと板《いた》の上《うえ》で寝返《ねがえ》りを打《う》ち、身体《からだ》を横向《よこむ》きにする。

すると、はずみで、足場《あしば》に渡《わた》された板《いた》の端《はし》が、ガコッと音《おと》を立《た》てて傾《かたむ》いてしまった。

（え？　ちょっ…）


佐藤刑事《さとうけいじ》は、会議室《かいぎしつ》に移動《いどう》して、子供《こども》たちの事情聴取《じじょうちょうしゅ》を開始《かいし》した。捜査《そうさ》で用《もち》いる似顔絵《にがおえ》を作成《さくせい》するため、似顔絵捜査官《にがおえそうさかん》も同席《どうせき》している。

「じゃあもう一度確認《いちどかくにん》するけど…こんな感《かん》じのおじさんが…あのタブレットをあなた達《たち》に渡《わた》したのね？　高木君《たかぎくん》から預《あず》かった、私《わたし》への贈《おく》り物《もの》だって…」

佐藤刑事《さとうけいじ》はそう言《い》いながら、似顔絵捜査官《にがおえそうさかん》の書《か》いた絵《え》を子供《こども》たちに見《み》せた。

「ああ…」

「最初《さいしょ》『高木刑事《たかぎけいじ》の知《し》り合《あ》いか？』と聞《き》かれて…『そうです』って答《こた》えたら…」

「高木刑事《たかぎけいじ》の恋人《こいびと》の刑事《けいじ》さんにアレを渡《わた》してって、言《い》われたよ？」

元太《げんた》、光彦《みつひこ》、歩美《あゆみ》が順番《じゅんばん》に証言《しょうげん》する。

高木刑事《たかぎけいじ》の恋人《こいびと》にタブレット端末《たんまつ》を渡《わた》すよう言《い》われたと聞《き》いて、佐藤刑事《さとうけいじ》は表情《ひょうじょう》をけわしくした。

「じゃあ、私《わたし》にも恨《うら》みを持《も》ってる人《ひと》かも…」

「それはないと思《おも》うよ！　高木刑事《たかぎけいじ》の事《こと》はフルネームで知《し》ってるのに…佐藤刑事《さとうけいじ》の事《こと》は恋人《こいびと》の刑事《けいじ》としか認識《にんしき》してないみたいだし…」

コナンの言葉《ことば》に納得《なっとく》すると、佐藤刑事《さとうけいじ》は「じゃあ癖《くせ》や言葉遣《ことばづか》いで気《き》になった事《こと》はない？」と子供《こども》たちに質問《しつもん》を重《かさ》ねた。

「別《べつ》に普通《ふつう》だったよな？」

元太《げんた》が歩美《あゆみ》と光彦《みつひこ》を見《み》ながら言《い》う。

と、そこへ、千葉刑事《ちばけいじ》が、顔色《かおいろ》を真《ま》っ青《さお》にして駆《か》けこんできた。

「た、大変《たいへん》です、佐藤《さとう》さん!!」

「え？」

「た…高木《たかぎ》さんが…」

佐藤刑事《さとうけいじ》があわててタブレット端末《たんまつ》の動画《どうが》を見《み》に行《い》くと、高木刑事《たかぎけいじ》はうつぶせになり、板《いた》から上半身《じょうはんしん》を乗《の》り出《だ》していた。少《すこ》しでもバランスを崩《くず》したら、今《いま》にも落《お》ちてしまいそうな姿勢《しせい》だ。

「ちょっ…ちょっと、何《なん》なのよこの状態《じょうたい》!!? 何《なん》で落《お》ちそうになってんの!?」

「今日《きょう》、3回目《かいめ》の映像《えいぞう》をビデオに録《と》ろうとつけてみたら…いきなりこうなっていて…」

千葉刑事《ちばけいじ》が、うろたえながら説明《せつめい》する。

「で、でも、どうして!?」

狼狽《ろうばい》する佐藤刑事《さとうけいじ》の背後《はいご》で、ほかの刑事《けいじ》たちが「もう何時間《なんじかん》もこの状態《じょうたい》だからな…」「自暴自棄《じぼうじき》になってもおかしくは…」とささやきあう。

「し、しっかりしなさい!! 高《たか》…」

画面《がめん》の中《なか》の高木刑事《たかぎけいじ》に声《こえ》をかけようとして、佐藤刑事《さとうけいじ》は、高木刑事《たかぎけいじ》の上着《うわぎ》から何《なに》かが落《お》ちていくのに気《き》が付《つ》いた。

（あ…警察手帳《けいさつてちょう》!!）

「それを誰《だれ》かが拾《ひろ》って通報《つうほう》すれば…高木刑事《たかぎけいじ》の居場所《いばしょ》がわかる…」

コナンが冷静《れいせい》に言《い》う。

高木刑事《たかぎけいじ》が板《いた》からを身《み》を乗《の》り出《だ》していたのは、自暴自棄《じぼうじき》になっていたからではなく、上着《うわぎ》のポケットに入《はい》っていた警察手帳《けいさつてちょう》を下《した》に落《お》とすためだったのだ。うつぶせの姿勢《しせい》のままモゾモゾと板《いた》の上《うえ》に戻《もど》ると、高木刑事《たかぎけいじ》はほっとしたように身体《からだ》の力《ちから》を抜《ぬ》いた。

「大丈夫《だいじょうぶ》…高木刑事《たかぎけいじ》、冷静《れいせい》みたいだよ？」

コナンが笑《わら》いかけるが、佐藤刑事《さとうけいじ》はまだ少《すこ》し動揺《どうよう》したまま「そ、そうね…」と、ぎこちなくうなずいた。


捜査一課《そうさいっか》の刑事《けいじ》たちは、松本管理官《まつもとかんりかん》からの指示《しじ》に従《したが》って、高木刑事《たかぎけいじ》が今《いま》までに関《かか》わった事件《じけん》について調《しら》べた。しかし、高木刑事《たかぎけいじ》が誰《だれ》かに恨《うら》まれていたような形跡《けいせき》は見《み》つからない。

さらに、目暮警部《めぐれけいぶ》の調査《ちょうさ》によれば、昨夜羽田《ゆうべはねだ》を発《た》った飛行機《ひこうき》の乗客名簿《じょうきゃくめいぼ》に高木刑事《たかぎけいじ》の名《な》前《まえ》はなかったという。

「おい！　一体《いったい》どーなっているんだ!?」

刑事《けいじ》たちから報告《ほうこく》を受《う》け、松本管理官《まつもとかんりかん》は苛《いら》立《だ》ちを抑《おさ》えきれなかった。

「昨夜《ゆうべ》の羽田発《はねだはつ》のどの便《びん》の乗客名簿《じょうきゃくめいぼ》にも『タカギ・ワタル』の名前《なまえ》は無《な》く…高木《たかぎ》の住居《じゅうきょ》に手《て》掛《が》かりは0《ゼロ》で…高木《たかぎ》が関《かか》わった事件《じけん》に思《おも》い当《あ》たる節《ふし》は皆無《かいむ》…。じゃあ一体《いったい》、どこのどいつが高木《たかぎ》を拉致《らち》したっていうんだ!?」

すると、刑事《けいじ》の一人《ひとり》が、「あ、あのー…」と遠慮《えんりょ》がちに声《こえ》をあげた。

「そういえば先週《せんしゅう》…資料室《しりょうしつ》から出《で》て来《く》る高木《たかぎ》を見《み》かけました…」

「何《なに》!?」

「涙《なみだ》ぐんでいたので、何《なん》の資料《しりょう》を見《み》ていたのか少々気《しょうしょうき》になっていましたが…」

高木刑事《たかぎけいじ》が過去《かこ》の事件《じけん》についての資料《しりょう》を見《み》ていたのだとすれば、そこに何《なん》らかの手《て》がかりがあるかもしれない。

松本管理官《まつもとかんりかん》は、ガタッと勢《いきお》いよく椅子《いす》から立《た》ち上《あ》がると、周囲《しゅうい》にいる刑事《けいじ》たちに指示《しじ》を飛《と》ばした。

「よーし！　今《いま》すぐ庶務《しょむ》の資料管理担当者《しりょうかんりたんとうしゃ》に、その日《ひ》、高木《たかぎ》が何《なん》の事件《じけん》の資料《しりょう》を閲覧《えつらん》していたかを確認《かくにん》!!　その資料《しりょう》を残《のこ》らず儂《ワシ》の目《め》の前《まえ》に持《も》って来《こ》い!!」


佐藤刑事《さとうけいじ》は、子供《こども》たちの事情聴取《じじょうちょうしゅ》に戻《もど》るため、コナンと一緒《いっしょ》に廊下《ろうか》に出《で》た。

コナンと歩《ある》きながら、佐藤刑事《さとうけいじ》は、高木刑事《たかぎけいじ》が見《み》ていたという資料《しりょう》について説明《せつめい》した。

「へえ――…その日《ひ》、高木刑事《たかぎけいじ》が見《み》てた事件《じけん》の資料《しりょう》って、みんな1年《ねん》ぐらい前《まえ》に首吊《くびつ》り自《じ》殺《さつ》した女《おんな》の人《ひと》ばっかりだったんだね？」

「ええ…全部《ぜんぶ》で3件《けん》…一応《いちおう》、3件共《けんとも》、私《わたし》と高木君《たかぎくん》が現場《げんば》に駆《か》けつけたけど…。どーみても自殺《じさつ》で事件性《じけんせい》が無《な》いと判断《はんだん》し、所轄《しょかつ》に任《まか》せた案件《あんけん》ばかりだったわ…」

「その3件《けん》ってどんな情況《じょうきょう》だったの？」

「確《たし》か1人《り》は、徳木侑子《とくぎゆうこ》さんっていう東都大学医学部《とうとだいがくいがくぶ》の6年生《ねんせい》で…」

佐藤刑事《さとうけいじ》は、写真《しゃしん》で見《み》た生前《せいぜん》の徳木《とくぎ》の顔《かお》を思《おも》い浮《う》かべた。黒髪《くろかみ》をショートカットにして、黒縁《くろぶち》のメガネをかけた、おとなしそうな女性《じょせい》だ。発見《はっけん》された遺体《いたい》はスウェットと靴下《くつした》を穿《は》いていて、フローリングの床《ゆか》の上《うえ》には遺書《いしょ》が置《お》いてあった。

「首《くび》を吊《つ》った場所《ばしょ》は自宅《じたく》のマンションのリビング…。女《おんな》の子《こ》っぽくない部屋《へや》だったけど、きちんと整頓《せいとん》されていて…足元《あしもと》にあった遺書《いしょ》によると…数日前《すうじつまえ》に自分《じぶん》の車《くるま》で人《ひと》を轢《ひ》き逃《に》げしてしまい…その良心《りょうしん》の呵責《かしゃく》に堪《た》えかねたって書《か》いてあったわ…」

そう言《い》うと、佐藤刑事《さとうけいじ》は腕組《うでぐ》みをして続《つづ》けた。

「２人目《りめ》は、英会話《えいかいわ》スクールの講師《こうし》で母親《ははおや》がアメリカ人《じん》の…ナタリー・来間《くるま》さん…」

来間《くるま》は、垂《た》れた目《め》じりが印象的《いんしょうてき》な、明《あか》るい色《いろ》の髪《かみ》をショートカットにした女性《じょせい》だった。発見《はっけん》された遺体《いたい》は、タートルネックのセーターの上《うえ》に、黒《くろ》いファーのついたジャケットを羽織《はお》っていた。

「部屋《へや》に貼《は》ってあったカレンダーの書《か》き込《こ》みからすると、毎日《まいにち》のように彼氏《かれし》とデートしてたようだけど…その彼《かれ》に捨《す》てられて絶望《ぜつぼう》したそうよ…。自殺《じさつ》した日《ひ》も、デートの約束《やくそく》してたみたいなんだけどね…」

「何《なん》でそうだったってわかったの？」

「彼女《かのじょ》の携帯電話《けいたいでんわ》よ！　母親《ははおや》に送《おく》った英語《えいご》のメールにそう書《か》いてあったと、先《さき》に現場《げんば》に到着《とうちゃく》した機動捜査隊《きどうそうさたい》が言《い》ってたわ…」

コナンの質問《しつもん》に答《こた》えると、佐藤刑事《さとうけいじ》は続《つづ》けて、三人目《さんにんめ》の自殺者《じさつしゃ》について口《くち》を開《ひら》いた。

「3人目《にんめ》が、六本木《ろっぽんぎ》のバーのホステスで、人気《にんき》Ｎｏ．《ナンバー》1だった彦上京華《ひこうえきょうか》さん…。かなり稼《かせ》いでたみたいなのに…住《す》んでたのは古《ふる》いアパートで、部屋中《へやじゅう》ビールの空《あ》き缶《かん》だらけ…」

彦上《ひこうえ》は、メイクが濃《こ》く、露出《ろしゅつ》の多《おお》い服《ふく》を好《この》んでいた。首吊《くびつ》り自殺《じさつ》した時《とき》には、裸足《はだし》の足《あし》にペディキュアが塗《ぬ》られていたという。

「日記《にっき》によると、貢《みつ》いでた彼氏《かれし》が結婚詐欺師《けっこんさぎし》だとわかり…やけになって首《くび》を吊《つ》ったらしいわ…」

「その詐欺師《さぎし》は捕《つか》まえたの？」

「ええ…でも罪状《ざいじょう》は詐欺《さぎ》じゃなく殺人《さつじん》…。その男《おとこ》、かなり借金《しゃっきん》を抱《かか》えてて、ヤミ金《きん》とのトラブルで人《ひと》を刺《さ》しちゃったのよ…。確《たし》か捕《つか》まえたのは伊達《だて》さんだったかな？」

コナンは「伊達《だて》さん？」と聞《き》き返《かえ》した。

「そっか！　コナン君《くん》は会《あ》った事《こと》ないわね…。伊達《だて》さん、その詐欺師《さぎし》を捕《つか》まえたすぐ後《あと》に、交通事故《こうつうじこ》に遭《あ》って亡《な》くなったから…。なんか落《お》とした手帳《てちょう》を拾《ひろ》おうとして、居眠《いねむ》り運転《うんてん》の車《くるま》にはねられたって高木君《たかぎくん》が言《い》ってたわ…」

「た、高木刑事《たかぎけいじ》が？」

「高木君《たかぎくん》もその場《ば》に居合《いあ》わせたのよ…。徹夜《てつや》で張《は》り込《こ》んで朝方《あさがた》2人《り》で帰《かえ》る途中《とちゅう》で…高木君《たかぎくん》に手帳《てちょう》の中《なか》の何《なに》かを見《み》せようとして、轢《ひ》かれたらしいから…。ホラ、高木君《たかぎくん》がいつも使《つか》ってる黒《くろ》い手帳《てちょう》！　あれ、伊達《だて》さんから譲《ゆず》り受《う》けた遺品《いひん》よ！」

高木刑事《たかぎけいじ》の使《つか》っている黒《くろ》い手帳《てちょう》には、裏表紙《うらびょうし》の折《お》り返《かえ》し部分《ぶぶん》に「DATE《ダテ》」という文字《もじ》が書《か》かれている。生前《せいぜん》の伊達刑事《だてけいじ》が、自分《じぶん》の苗字《みょうじ》をアルファベットで書《か》きこんだのだ。

「あれが真《ま》っ黒《くろ》になるまで書《か》き込《こ》んで、早《はや》く伊達《だて》さんのような刑事《けいじ》になりたいって張《は》り切《き》ってたのよね…」

「へ——…。高木刑事《たかぎけいじ》とその刑事《けいじ》さん、仲《なか》よかったんだね！」

「ええ…伊達《だて》さんは高木君《たかぎくん》の教育係《きょういくがかり》だったから…。伊達《だて》さんは勝手《かって》に、ワタル・ブラザーズって触《ふ》れ回《まわ》ってたし…」

「何《なん》でブラザーズなの？」

「だって伊達《だて》さんの名前《なまえ》は…伊達航《だてわたる》！　高木君《たかぎくん》の名前《なまえ》と同《おな》じワタルだから…」

佐藤刑事《さとうけいじ》の言葉《ことば》に、コナンは（え？）と目《め》を丸《まる》くした。

「まあ同《おな》じワタルでも、草食系《そうしょくけい》の高木君《たかぎくん》と違《ちが》って、伊達《だて》さんは肉食系《にくしょくけい》…。私《わたし》と1つしか違《ちが》わないのに、伊達《だて》さんは老《ふ》け顔《がお》だったし…」

佐藤刑事《さとうけいじ》が冗談《じょうだん》まじりに言《い》うが、コナンの耳《みみ》には入《はい》っていない。伊達刑事《だてけいじ》と高木刑事《たかぎけいじ》の名前《なまえ》がどちらもワタルだと知《し》り、コナンは一《ひと》つの可能性《かのうせい》に思《おも》い当《あ》たっていた。

（まさか…まさか、高木刑事《たかぎけいじ》が拉致《らち》された理由《りゆう》って…）


高木刑事《たかぎけいじ》が警察手帳《けいさつてちょう》を落《お》としてから、三時間《さんじかん》が経過《けいか》した。すでに日《ひ》が暮《く》れかけている。これから夜《よる》になるにつれ、気温《きおん》はどんどん下《さ》がっていくだろう。

千葉刑事《ちばけいじ》は松本管理官《まつもとかんりかん》の指示《しじ》に従《したが》い、一時間《いちじかん》ごとに十分間《じっぷんかん》だけタブレット端末《たんまつ》の電源《でんげん》を入《い》れて、配信《はいしん》される動画《どうが》の画面《がめん》をビデオカメラで撮影《さつえい》していた。

「おい、どうだ!?　高木《たかぎ》は無事《ぶじ》か!?」

松本管理官《まつもとかんりかん》に聞《き》かれ、千葉刑事《ちばけいじ》は「あ、はい！」とうなずいた。

「3時間前《じかんまえ》にうつぶせになった状態《じょうたい》のままです…。かなり衰弱《すいじゃく》しているようですが…」

画面《がめん》に映《うつ》し出《だ》された高木刑事《たかぎけいじ》は、ぐったりとして、つかれきった表情《ひょうじょう》をしていた。気温《きおん》の低《ひく》い屋外《おくがい》に薄着《うすぎ》で放置《ほうち》されて、すっかり体力《たいりょく》を消耗《しょうもう》しているようだ。

松本管理官《まつもとかんりかん》は、白鳥刑事《しらとりけいじ》の方《ほう》を振《ふ》り返《かえ》った。

「その時《とき》、高木《たかぎ》が落《お》としたという警察手帳《けいさつてちょう》！　拾《ひろ》ったという通報《つうほう》はないのか？」

「はい…今《いま》の所《ところ》はまだ…」

「先週《せんしゅう》、高木《たかぎ》が資料室《しりょうしつ》で閲覧《えつらん》していたという3件《けん》の自殺者《じさつしゃ》の遺族《いぞく》には連絡《れんらく》が取《と》れたのか？」

目暮警部《めぐれけいぶ》が、「それが…」と硬《かた》い表情《ひょうじょう》で口《くち》を開《ひら》く。

「1件目《けんめ》の徳木侑子《とくぎゆうこ》という医大生《いだいせい》の実家《じっか》は高知《こうち》なんですが…半年前《はんとしまえ》に引《ひ》っ越《こ》されたようでまだ所在《しょざい》がつかめていません…。2件目《けんめ》の英語講師《えいごこうし》のナタリー・来間《くるま》さんは北海道《ほっかいどう》生まれで…唯一《ゆいいつ》の肉親《にくしん》である両親《りょうしん》は、娘《むすめ》さんの遺体《いたい》を引《ひ》き取《と》りに来《こ》られる途中《とちゅう》で交通事故《こうつうじこ》に巻《ま》き込《こ》まれて2人共《りとも》、他界《たかい》…。ホステスをやっていた彦上京華《ひこうえきょうか》さんは、出身地《しゅっしんち》を偽《いつわ》って働《はたら》いていたらしく身元《みもと》は不明《ふめい》…。ただ…職場《しょくば》の仲間《なかま》の話《はなし》によるとたまに博多弁《はかたべん》が出《で》ていたと…」

「四国《しこく》に北海道《ほっかいどう》に九州《きゅうしゅう》か…。どれも一泊《いっぱく》する距離《きょり》ではあるが…」

松本管理官《まつもとかんりかん》が硬《かた》い表情《ひょうじょう》でつぶやく。

「確《たし》か自殺《じさつ》したのは、３件共同《けんともおな》じ日《ひ》でしたよね？」

白鳥刑事《しらとりけいじ》に確認《かくにん》され、目暮警部《めぐれけいぶ》は「ああ…丁度《ちょうど》1年前《ねんまえ》の明後日《あさって》だ…」とうなずいた。

その時《とき》、タブレット端末《たんまつ》の画面《がめん》を確認《かくにん》していた千葉刑事《ちばけいじ》が、「あ、あぁぁ!?」とすっとんきょうな声《こえ》をあげた。

「ん？　どうした!?」

「と、突然《とつぜん》、画面《がめん》が揺《ゆ》れだして…」

松本管理官《まつもとかんりかん》は、画面《がめん》をのぞきこんだ。確《たし》かに、画面全体《がめんぜんたい》がぐらぐらと大《おお》きく揺《ゆ》れている。

「じ、地震《じしん》!?」

松本管理官《まつもとかんりかん》は背後《はいご》にいた白鳥刑事《しらとりけいじ》に向《む》かって声《こえ》を張《は》り上《あ》げた。

「気象庁《きしょうちょう》に連絡《れんらく》し震源地《しんげんち》を確認《かくにん》しろ!!　これがライブ映像《えいぞう》なら場所《ばしょ》が絞《しぼ》り込《こ》める!!」

「は、はい！」

白鳥刑事《しらとりけいじ》は携帯《けいたい》を取《と》り出《だ》し、気象庁《きしょうちょう》に電話《でんわ》をかけた。

目暮警部《めぐれけいぶ》と松本管理官《まつもとかんりかん》は、緊張《きんちょう》した面持《おもも》ちで、画面《がめん》の中《なか》の高木刑事《たかぎけいじ》の様子《ようす》を見守《みまも》る。

「か、かなり揺《ゆ》れてますね…」

「落《お》ちるなよ、高木《たかぎ》…」

祈《いの》るようにつぶやくと、松本管理官《まつもとかんりかん》は「おい、まだか!?」と、白鳥刑事《しらとりけいじ》を急《せ》かした。

「そ、それが…昨日《きのう》から今日《きょう》…今《いま》、現在《げんざい》に至《いた》るまで…。日本全国《にっぽんぜんこく》47都道府県《とどうふけん》のどこにも地《じ》震《しん》は発生《はっせい》していないと…」

「な、何《なん》だと!?」

松本管理官《まつもとかんりかん》は目《め》を見開《みひら》き、目暮警部《めぐれけいぶ》も然《ぜん》として「ま、まさか…外国《がいこく》か!?」とタブレット端末《たんまつ》をのぞきこんだ。動画《どうが》の揺《ゆ》れは、いつのまにか収《おさ》まっている。

「あ…。ゆ、揺《ゆ》れ…止《と》まったみたいですね…」

千葉刑事《ちばけいじ》がつぶやく。

と、画面《がめん》の下《した》の方《ほう》で、カラスが飛《と》んできて、高木刑事《たかぎけいじ》の背中《せなか》に留《と》まったのが映《うつ》った。

「ん？　カラス…」

「恐《おそ》らくカメラが固定《こてい》されている棒《ぼう》か何《なに》かにカラスが留《と》まった為《ため》に…その振動《しんどう》で、画面《がめん》が揺《ゆ》れていたものと…」

きょとんとする目暮警部《めぐれけいぶ》に、白鳥刑事《しらとりけいじ》が説明《せつめい》する。

カメラが揺《ゆ》れていた原因《げんいん》が地震《じしん》ではなくカラスだったのなら、残念《ざんねん》ながら高木刑事《たかぎけいじ》の居《い》場所《ばしょ》を特定《とくてい》するヒントにはならないだろう。

松本管理官《まつもとかんりかん》は仕切《しき》り直《なお》して、刑事《けいじ》たちに改《あらた》めて発破《はっぱ》をかけた。

「とにかく、問題《もんだい》の首吊《くびつ》り自殺《じさつ》で高木《たかぎ》に何《なん》らかの恨《うら》みを持《も》った人物《じんぶつ》の犯行《はんこう》である可能性《かのうせい》が極《きわ》めて高《たか》い!! 詳《くわ》しい捜査資料《そうさしりょう》を持《も》っている所轄《しょかつ》と連携《れんけい》し、被疑者《ひぎしゃ》を割《わ》り出《だ》せ!!」

「はい!!」


少年探偵団《しょうねんたんていだん》たちの事情聴取《じじょうちょうしゅ》は長引《ながび》き、夜《よる》まで続《つづ》いた。ようやく終《お》わった時《とき》にはすっかり暗《くら》くなっていたので、佐藤刑事《さとうけいじ》は車《くるま》で子供《こども》たちを自宅《じたく》まで送《おく》り届《とど》けることにした。

「今日《きょう》は遅《おそ》くまでゴメンね、みんな…事情聴取《じじょうちょうしゅ》、疲《つか》れたでしょ？」

光彦《みつひこ》が「いえ…」と首《くび》を振《ふ》ると、元太《げんた》はジトッとした目《め》つきで佐藤刑事《さとうけいじ》の方《ほう》をのぞきこんだ。

「それより心配《しんぱい》じゃねーのか？　夜《よる》になったら高木《たかぎ》、眠《ねむ》くなっちまうぞ？」

「そーですよ！　もしも寝返《ねがえ》りを打《う》ったら…」

「だ、大丈夫《だいじょうぶ》よ！　高木君《たかぎくん》、割《わ》りと寝相《ねぞう》いいし…」

佐藤刑事《さとうけいじ》が苦笑《にがわら》いで言《い》うと、元太《げんた》は「へ――…」と意外《いがい》そうに相《あい》づちを打《う》った。

光彦《みつひこ》と歩美《あゆみ》が、すかさず運転席《うんてんせき》の方《ほう》へと身《み》を乗《の》り出《だ》す。

「い、一緒《いっしょ》に寝《ね》てるんですか？」

「仲《なか》よしさんだね♡」

口《くち》をすべらせてしまった佐藤刑事《さとうけいじ》は、頬《ほお》を赤《あか》くして照《て》れながら、

「ホ、ホラ、張《は》り込《こ》み中《ちゅう》に車《くるま》の中《なか》で仮眠《かみん》とか取《と》ってるから…」

と、あたふたとごまかした。

「でも、犯人《はんにん》がその3件《けん》の首吊《くびつ》り事件《じけん》で高木刑事《たかぎけいじ》を恨《うら》んでいるとしたら…本当《ほんとう》は、それが殺人《さつじん》で、自殺《じさつ》だと決《き》めつけた高木刑事《たかぎけいじ》を…」

光彦《みつひこ》が難《むずか》しい顔《かお》で言《い》う。

「それはねーと思《おも》うぜ…。もしもそうなら、一緒《いっしょ》に現場《げんば》に駆《か》け付《つ》けた他《ほか》の刑事《けいじ》さんや鑑識《かんしき》さんの事《こと》も恨《うら》んでるはずだし…。３件共《けんとも》、誰《だれ》かに再捜査《さいそうさ》を要求《ようきゅう》された様子《ようす》もないみてーだしな…」

コナンの推理《すいり》に、佐藤刑事《さとうけいじ》も「そうね…」と同意《どうい》した。

「３件共《けんとも》、伊達《だて》さんが車《くるま》で轢《ひ》かれた翌日《よくじつ》だったから、高木君《たかぎくん》、現場《げんば》でもボーっとしてたし…自殺《じさつ》だと断定《だんてい》したのは警部補《けいぶほ》の私《わたし》…。恨《うら》まれるなら、私《わたし》のはずだしね…」

「もしかしたらよー、医者《いしゃ》の学校《がっこう》に行《い》ってた姉《ねえ》ちゃんじゃねーか？　誰《だれ》かを車《くるま》ではねたから、そうしちまったんだろ？」

「その徳木《とくぎ》さんが轢《ひ》いたのは別人《べつじん》…伊達《だて》さんを轢《ひ》いた人《ひと》は、その場《ば》で逮捕《たいほ》されてるし…」

徳木《とくぎ》を疑《うたが》う元太《げんた》に、佐藤刑事《さとうけいじ》が言《い》う。

すると、今度《こんど》は歩美《あゆみ》が、「じゃあ英語《えいご》の先生《せんせい》かも…」と来間《くるま》をあやしんだ。

「こっそり高木刑事《たかぎけいじ》とデートしてたとか…」

「違《ちが》うわよ…。そのナタリーさんの部屋《へや》のカレンダーにデート、デートって英語《えいご》で書《か》き込《こ》まれてたけど…刑事《けいじ》があんなに毎日《まいにち》デートできるわけがないから…」

徳木《とくぎ》でも来間《くるま》でもないとしたら、残《のこ》るのは彦上《ひこうえ》だけだ。光彦《みつひこ》は、「だったらホステスさんじゃないでしょうか…」と佐藤刑事《さとうけいじ》に語《かた》りかけた。

「彼氏《かれし》がその伊達《だて》という刑事《けいじ》さんに捕《つか》まったから、自殺《じさつ》したんでしょ？　その刑事《けいじ》さんと高木刑事《たかぎけいじ》が仲《なか》よかったんなら…」

「確《たし》かに、その彦上《ひこうえ》さんの彼氏《かれし》を殺人《さつじん》で捕《つか》まえたのは、伊達《だて》さんだけど…。伊達《だて》さんが轢《ひ》かれた翌日《よくじつ》の新聞《しんぶん》で、その彼《かれ》が実《じつ》は結婚詐欺師《けっこんさぎし》だったと知《し》り、ヤケになって首《くび》を吊《つ》ったのよ？　我々警察《われわれけいさつ》が恨《うら》まれる筋合《すじあ》いは全《まった》くないわ!!」

徳木《とくぎ》が起《お》こした人身事故《じんしんじこ》の被害者《ひがいしゃ》は伊達《だて》とは別人《べつじん》で、来間《くるま》は恋人《こいびと》と頻繁《ひんぱん》にデートをしていた。彦上《ひこうえ》が騙《だま》されていた結婚詐欺師《けっこんさぎし》を捕《つか》まえたのは伊達《だて》だが、だからといって警察《けいさつ》が恨《うら》まれる理由《りゆう》はない。ということは、三人《さんにん》とも、高木刑事《たかぎけいじ》が拉致《らち》されたこととは無関係《むかんけい》なのだろうか？

コナンは運転席《うんてんせき》の方《ほう》に身《み》を乗《の》り出《だ》し、「ねぇ…」と佐藤刑事《さとうけいじ》に声《こえ》をかけた。

「その伊達刑事《だてけいじ》の事《こと》、色《いろ》んな人《ひと》にもっと詳《くわ》しく聞《き》いた方《ほう》がいいと思《おも》うよ？」

「え？　どして？」

「何《なに》か引《ひ》っ掛《か》かるんだよ…。伊達《だて》刑事《けいじ》の名前《なまえ》が、高木《たかぎ》刑事《けいじ》と同《おな》じ『ワタル』っていうのがね…」


その頃《ころ》、高木《たかぎ》刑事《けいじ》は板《いた》の上《うえ》に寝《ね》かされたまま、空《そら》に浮《う》かんだ月《つき》を眺《なが》めていた。

（ハハ…すっかり夜《よる》か…。寒《さむ》い…凍《こご》える…オレ…ここで死《し》んじゃうのかなぁ…）

寒《さむ》さのあまり、高木《たかぎ》刑事《けいじ》は意識《いしき》がもうろうとしていた。

（まぁ…こうなったのはオレのせい…。バチが当《あ》たったと思《おも》えば…）

投《な》げやりな気持《きも》ちになる高木《たかぎ》刑事《けいじ》の脳裏《のうり》を、ふと、最後《さいご》に見《み》た伊達《だて》刑事《けいじ》の姿《すがた》がよぎった。

——高木《たかぎ》…。こ、こいつはお前《まえ》に任《まか》せたぜ…。ま、任《まか》せたからな…。

交通事故《こうつうじこ》にあった伊達《だて》刑事《けいじ》は、救急隊《きゅうきゅうたい》に運《はこ》ばれる間際《まぎわ》、そう言《い》いながら高木《たかぎ》刑事《けいじ》に自分《じぶん》の手帳《てちょう》を差《さ》し出《だ》したのだ。

伊達《だて》刑事《けいじ》に手帳《てちょう》を託《たく》されたことを思《おも》い出《だ》し、高木《たかぎ》刑事《けいじ》はハッとした。

（ダメだ！　しっかりしろ!!）

そう自分《じぶん》に言《い》い聞《き》かせながら、ガバッと身体《からだ》を起《お》こす。すると、首《くび》に結《むす》ばれたロープがピンと張《は》った。

（なんとかここを脱出《だっしゅつ》して、あの人《ひと》に伝《つた》えないと…。伊達《だて》さんの為《ため》にも…。真実《しんじつ》を!!）

翌日《よくじつ》。

警視庁《けいしちょう》では、刑事《けいじ》たちが何《なん》とか手《て》を尽《つ》くして、高木刑事《たかぎけいじ》の動画《どうが》の発信元《はっしんもと》を割《わ》り出《だ》そうとしていた。しかし、コナンの言《い》っていたように、作業《さぎょう》は上手《うま》くいっていない。

「ダ、ダメです管理官《かんりかん》!!　回線業者《かいせんぎょうしゃ》に問《と》い合《あ》わせたら、やはり海外《かいがい》のサーバーを経由《けいゆ》しているようで、今《いま》、現地《げんち》の捜査機関《そうさきかん》に協力《きょうりょく》を仰《あお》いでいるんですが…」

「時間《じかん》がかかるという事《こと》か…」

刑事《けいじ》から報告《ほうこく》を受《う》け、松本管理官《まつもとかんりかん》は苦々《にがにが》しげにつぶやいた。

「しかも仮《かり》にわかったとしても、いくつかの国《くに》を経由《けいゆ》していれば…」

「より捜査《そうさ》に時間《じかん》がかかり…わかった頃《ころ》には高木《たかぎ》が凍《こご》え死《じ》んでいそうだな…」

そう言《い》うと、松本管理官《まつもとかんりかん》は千葉刑事《ちばけいじ》の方《ほう》を振《ふ》り返《かえ》って「高木《たかぎ》の状態《じょうたい》は？」と聞《き》いた。

「衰弱《すいじゃく》が激《はげ》しいです…。一晩中《ひとばんじゅう》、体《からだ》を起《お》こして動《うご》かしていたようで…」

千葉刑事《ちばけいじ》が、タブレット端末《たんまつ》を確認《かくにん》しながら、固《かた》い声《こえ》で答《こた》える。動画《どうが》に映《うつ》る高木刑事《たかぎけいじ》は、さらにぐったりとして、顔色《かおいろ》もいっそう悪《わる》くなっていた。

「いくら寒《さむ》いからといっても体力《たいりょく》がもたんぞ!!」

と、目暮警部《めぐれけいぶ》が心配《しんぱい》そうに言《い》う。

しかし、高木刑事《たかぎけいじ》は、寒《さむ》いからというだけで身体《からだ》を動《うご》かしていたわけではない。足《あし》に結《むす》ばれたロープを切《き》るため、何度《なんど》も板《いた》の端《はし》にこすりつけていたのだ。

苦労《くろう》のかいあって、ロープは少《すこ》しずつ、ほつれ始《はじ》めていた。


コナンは、伊達刑事《だてけいじ》と高木刑事《たかぎけいじ》の下《した》の名前《なまえ》がどちらも「ワタル」であることが、どうしても引《ひ》っかかっていた。そこで、元太《げんた》、光彦《みつひこ》、歩美《あゆみ》とともに、再《ふたた》び警視庁《けいしちょう》を訪《おとず》れて、佐藤《さとう》刑事《けいじ》を電話《でんわ》で呼《よ》び出《だ》すことにした。最近《さいきん》の高木刑事《たかぎけいじ》の様子《ようす》について、もう少《すこ》し詳《くわ》しく聞《き》いてみたかったからだ。また、光彦《みつひこ》も、タブレット端末《たんまつ》を渡《わた》してきた男《おとこ》について、新《あら》たに思《おも》い出《だ》したことがあるらしい。

現《あらわ》れた佐藤刑事《さとうけいじ》に、事件前《じけんまえ》の高木刑事《たかぎけいじ》の様子《ようす》について聞《き》いてみる。佐藤刑事《さとうけいじ》によると、高木刑事《たかぎけいじ》は羽田空港《はねだくうこう》に向《む》かう途中《とちゅう》で由美《ゆみ》に会《あ》っていたそうだ。そして、由美《ゆみ》からデートかとからかわれて、きっぱり否定《ひてい》していたという。

「え？　デートじゃない？　高木刑事《たかぎけいじ》、一昨日《おととい》の夜《よる》、どこかに出《で》かける前《まえ》に、ホントにそう言《い》ってたの？」

コナンが確認《かくにん》すると、佐藤刑事《さとうけいじ》は「ええ…」とうなずいた。

「由美《ゆみ》が高木君《たかぎくん》に『温泉《おんせん》に一泊《いっぱく》してデート？』って冷《ひ》やかしたら…『デートじゃありませんよ！』──って、ちょっと怒《おこ》った顔《かお》で言《い》ってたって…」

コナンは「……」とあごに手《て》を当《あ》てて考《かんが》え込《こ》んだ。

「ねぇ…それより、何《なに》か気《き》づいた事《こと》があるって電話《でんわ》で言《い》ってたけど…」

佐藤刑事《さとうけいじ》にうながされ、光彦《みつひこ》が口《くち》を開《ひら》いた。

「ボク達《たち》にタブレットを渡《わた》したあのオジさんの言葉遣《ことばづか》いが少々変《しょうしょうへん》だったんです…。『遅《おそ》くとも明日《あした》、明後日《あさって》にはダメになってしまう』って言《い》ってましたから…」

「確《たし》かに妙《みょう》ね…。『明日《あした》か、遅《おそ》くとも明後日《あさって》には』だったらわかるけど…」

佐藤刑事《さとうけいじ》は、腕組《うでぐ》みをして考《かんが》え込《こ》んだ。

「もしかしたら日本語《にほんご》が堪能《たんのう》な外国人《がいこくじん》かも…」

光彦《みつひこ》が言《い》うと、元太《げんた》は「でもよ…日本人《にっぽんじん》にしか見《み》えなかったよな？」と反論《はんろん》して、同意《どうい》を求《もと》めるように歩美《あゆみ》の方《ほう》を見《み》た。

歩美《あゆみ》が「うん…」とうなずく。

外国人《がいこくじん》でないとしたら、いったいどうして、男《おとこ》は「遅《おそ》くとも明日《あした》、明後日《あさって》にはダメになる」などと変《か》わった言《い》い回《まわ》しを口《くち》にしたのだろう。

「…ねぇ」と、コナンは佐藤刑事《さとうけいじ》の方《ほう》を見上《みあ》げて聞《き》いた。

「首《くび》を吊《つ》った例《れい》の3人《にん》の中《なか》に、北海道《ほっかいどう》に関係《かんけい》ある人《ひと》っていた？」

「ええ…英会話講師《えいかいわこうし》のナタリー・来間《くるま》さんが北海道出身《ほっかいどうしゅっしん》だけど…」

「じゃあ、その人《ひと》の関係者《かんけいしゃ》が高木刑事《たかぎけいじ》を拉致《らち》した犯人《はんにん》かもしれないよ？　明後日《あさって》の事《こと》を明日明後日《あしたあさって》っていうのは北海道《ほっかいどう》の方言《ほうげん》だから！」

男《おとこ》の口《くち》にした「明日明後日《あしたあさって》」という言葉《ことば》は、「明日《あした》か明後日《あさって》」ではなく、単《たん》に「明後日《あさって》」を指《さ》していた——コナンの推理《すいり》に、佐藤刑事《さとうけいじ》は「ええっ⁉」と声《こえ》をあげて仰天《ぎょうてん》し、光彦《みつひこ》も「で、でも何《なん》で？」と困惑《こんわく》した。

「多分《たぶん》その人《ひと》…伊達刑事《だてけいじ》の彼女《かのじょ》だったんだよ…」

コナンが言《い》い、佐藤刑事《さとうけいじ》は「か、彼女《かのじょ》？　伊達《だて》さんの⁉」とますます驚《おどろ》いた。

「カレンダーに毎日《まいにち》のように英語《えいご》で書《か》き込《こ》まれていたのは、デートの事《こと》じゃない？　デートのつづりはDATE《ディーエーティーイー》…。ローマ字読《じよ》みするとDATE《ダテ》…恐《おそ》らく伊達刑事《だてけいじ》が泊《と》まりに来《き》た印《しるし》！　高木刑事《たかぎけいじ》の言《い》ってた通《とお》り、デートじゃなかったってわけさ！」

「そっか…。英語《えいご》の先生《せんせい》だから…私《わたし》、頭《あたま》の中《なか》でDATE《ディーエーティーイー》をデートって勝手《かって》に変換《へんかん》してたのね…」

来間《くるま》の部屋《へや》にあったカレンダーには、毎日《まいにち》のように「DATE《ディーエーティーイー》」と記入《きにゅう》されていた。仕事《しごと》に忙《いそが》しかった伊達刑事《だてけいじ》は、頻繁《ひんぱん》にデートをすることは出来《でき》なかっただろうが、それでも多忙《たぼう》の合間《あいま》をぬって、短《みじか》い時間《じかん》でも来間《くるま》の家《いえ》に泊《と》まりに行《い》っていたのだろう。

「それに、その人《ひと》が自殺《じさつ》した日《ひ》も、デートの約束《やくそく》をしてたみたいって言《い》ってたよね？」

「え、えぇ…」

「それがもしも、伊達《だて》刑事《けいじ》と彼女《かのじょ》がどこかへ出《で》かける約束《やくそく》だったとしたら…彼女《かのじょ》は伊達《だて》刑《けい》事《じ》が交通事故《こうつうじこ》で亡《な》くなった事《こと》を知《し》らずに待《ま》ち続《つづ》け…捨《す》てられたと絶望《ぜつぼう》し、命《いのち》を断《た》ったかもしれないよね？」

コナンの推理《すいり》に、佐藤刑事《さとうけいじ》は「そ、そんな…」と声《こえ》をふるわせた。

だとすれば、来間《くるま》は勘違《かんちが》いが原因《げんいん》で自殺《じさつ》してしまったことになる。

「きっと高木刑事《たかぎけいじ》は、一年《いちねん》たってやっとその事《こと》に気《き》づき…彼女《かのじょ》の遺族《いぞく》にその事実《じじつ》を伝《つた》えに行《い》ったんだと思《おも》うよ！」

「そーいえば高木君《たかぎくん》、手帳《てちょう》に貼《は》られたプリクラを見《み》て、涙《なみだ》ぐんでたらしいから…そのプリクラに写《うつ》っていたのがナタリーさんで、先週《せんしゅう》、事件《じけん》の資料《しりょう》で顔《かお》を確認《かくにん》したとしたらありえるわね！」

「で、でもちょっと待《ま》ってください！　それは伊達《だて》という刑事《けいじ》さんの事《こと》ですよね？」

光彦《みつひこ》が、コナンと佐藤刑事《さとうけいじ》の会話《かいわ》にあわてて口《くち》を挟《はさ》むと、立《た》て続《つづ》けに元太《げんた》も「高木《たかぎ》と関《かん》係《けい》ないじゃんか！」と、うったえた。

「彼女《かのじょ》が親《おや》に、自分《じぶん》の彼《かれ》の名前《なまえ》はデートと紛《まぎ》らわしいDATE《ダテ》じゃなく…警視庁《けいしちょう》の刑事《けいじ》のWATARU《ワタル》さんだと言《い》ってたとしたらどーだ？　ナタリーさんの遺族《いぞく》に『彼女《かのじょ》の事《こと》で報告《ほうこく》したい事《こと》があるから会《あ》いたい』と、高木刑事《たかぎけいじ》が連絡《れんらく》してきたとしたら…」

「彼女《かのじょ》を捨《す》て、自殺《じさつ》に追《お》い込《こ》んだワタルという名《な》の警視庁《けいしちょう》の刑事《けいじ》が、1年《ねん》もたってからのこのこ会《あ》いに来《く》ると勘違《かんちが》いして…高木君《たかぎくん》をあんな目《め》に…」

佐藤刑事《さとうけいじ》は、コナンの言葉《ことば》を継《つ》いで言《い》うと、「で、でも」と続《つづ》けた。

「彼女《かのじょ》の両親《りょうしん》は、彼女《かのじょ》の遺体《いたい》を引《ひ》き取《と》りに来《く》る途中《とちゅう》で事故《じこ》に遭《あ》って…」

「じゃあ、彼女《かのじょ》の遺体《いたい》は誰《だれ》が？」

「た、確《たし》か同《おな》じ英会話教室《えいかいわきょうしつ》の、年配《ねんぱい》の先生《せんせい》で…彼女《かのじょ》の遺品《いひん》もその人《ひと》が…。そ、そういえば、彼女《かのじょ》の遺体《いたい》を引《ひ》き渡《わた》した時《とき》にその先生《せんせい》、泣《な》き崩《くず》れてたと、さっき所轄《しょかつ》から報告《ほうこく》があったわ…。同郷《どうきょう》で娘《むすめ》のように思《おも》ってたって…」

「じゃあ間違《まちが》いない！　高木刑事《たかぎけいじ》を拉致《らち》したのはその人《ひと》だ!!」

断定《だんてい》して言《い》うと、コナンはきゅっと目《め》つきを鋭《するど》くした。

「彼女《かのじょ》の遺品《いひん》から携帯《けいたい》のメールを見《み》て、彼女《かのじょ》が高木刑事《たかぎけいじ》に捨《す》てられ自殺《じさつ》したと思《おも》い込《こ》んじまったんだよ!!」

コナンの推理《すいり》は、佐藤刑事《さとうけいじ》から松本管理官《まつもとかんりかん》へと伝《つた》えられた。来間《くるま》の遺体《いたい》を引《ひ》き取《と》りに来《き》たという男《おとこ》が特定《とくてい》されると、松本管理官《まつもとかんりかん》はただちに捜査一課《そうさいっか》の刑事《けいじ》たちを集《あつ》めた。

「被疑者《ひぎしゃ》を特定《とくてい》した!!　氏名《しめい》は笛本隆策《ふえもとりゅうさく》!　先月《せんげつ》、病気《びょうき》を理由《りゆう》に英会話教室《えいかいわきょうしつ》を辞《や》め、故郷《こきょう》である北海道《ほっかいどう》へ帰《かえ》ったと思《おも》われる!　北海道《ほっかいどう》の住居《じゅうきょ》は不明《ふめい》であるが…以前《いぜん》住《す》んでいた都内《とない》のマンションを引《ひ》き払《はら》っていない事《こと》を踏《ふ》まえると…そこに潜伏《せんぷく》している可能性《かのうせい》もある!　ただちに急行《きゅうこう》し、見《み》つけ次第《しだい》身柄《みがら》を確保《かくほ》!!　高木《たかぎ》の居場所《いばしょ》を吐《は》かせろ!!」

「はい!!」

佐藤刑事《さとうけいじ》は、捜査一課《そうさいっか》の刑事《けいじ》たちを引《ひ》き連《つ》れ、都内《とない》にある笛本《ふえもと》のマンションへと向《む》かった。

ピンポーンと何度《なんど》かインターフォンを押《お》すと、

『どうぞー…開《あ》いてますよー…』

と、応答《おうとう》があった。松本管理官《まつもとかんりかん》の読《よ》み通《どお》り、笛本《ふえもと》はこのマンションに潜伏《せんぷく》していたらしい。

ガチャッとドアを開《あ》け、マンションの中《なか》に踏《ふ》みこむと、笛本《ふえもと》はリビングのソファに座《すわ》って佐藤刑事《さとうけいじ》たちを待《ま》ち受《う》けていた。左手《ひだりて》にはワイングラス、そして右手《みぎて》には、何《なに》かのスイッチを持《も》っている。

「ようやく私《わたし》に辿《たど》り着《つ》きましたか…。待《ま》ってる間《あいだ》、うとうとして爆弾《ばくだん》のスイッチを押《お》してしまう所《ところ》でしたよ…」

笛本《ふえもと》が悠々《ゆうゆう》と言《い》う。スイッチは、どうやら爆弾《ばくだん》とつながっているようだ。

佐藤刑事《さとうけいじ》は、携帯電話《けいたいでんわ》で笛本《ふえもと》の写真《しゃしん》を撮《と》ると、警視庁《けいしちょう》のパソコンあてに送信《そうしん》して、

「どう？　この人《ひと》で間違《まちが》いない？」

と、警視庁《けいしちょう》にいるコナンや子供《こども》たちに確認《かくにん》した。

「うん！」

「間違《まちが》いありません！」

「このおっさんだぞ‼」

歩美《あゆみ》、光彦《みつひこ》、元太《げんた》からの返事《へんじ》を聞《き》き、佐藤刑事《さとうけいじ》は目《め》の前《まえ》の男《おとこ》が、高木刑事《たかぎけいじ》を拉致《らち》した犯人《はんにん》だと確信《かくしん》した。

「さぁ、話《はな》してもらうわよ！　高木君《たかぎくん》の居場所《いばしょ》を…」

爆弾《ばくだん》のスイッチにもひるまず、強気《つよき》の態度《たいど》で迫《せま》ってくる佐藤刑事《さとうけいじ》を、笛本《ふえもと》は楽《たの》しそうに眺《なが》めた。

「もしかして、君《きみ》かね？　高木渉刑事《たかぎわたるけいじ》の恋人《こいびと》の先輩刑事《せんぱいけいじ》というのは…。彼《かれ》の言《い》う通《とお》りなかなかの別嬪《べっぴん》さんだ…だからといってナタリーを捨《す》てた理由《りゆう》にはならんがね…」

そう言《い》うと、グビッとワインを口《くち》に含《ふく》む。

笛本《ふえもと》の勝手《かって》な言《い》い分《ぶん》に、佐藤刑事《さとうけいじ》は怒《いか》りが頂点《ちょうてん》に達《たっ》して、グイッと笛本《ふえもと》の胸《むな》ぐらをつかんだ。

「え？」

驚《おどろ》く笛本《ふえもと》に、ゴン！　と頭突《ずつ》きをすると、佐藤刑事《さとうけいじ》は早口《はやくち》にまくしたてた。

「いーい？　ふっ飛《と》ぶ前《まえ》によーく聞《き》きなさい!!　あんたが拉致《らち》したのは高木渉《たかぎわたる》で、ナタリーの恋人《こいびと》は伊達航《だてわたる》!!　しかも彼女《かのじょ》は捨《す》てられちゃいないわよ!!」

「で、でも彼女《かのじょ》の送信《そうしん》メールには『WATARU《ワタル》はもう来《こ》ない』って…」

「当《あ》たり前《まえ》でしょ!? その日《ひ》、彼《かれ》は車《くるま》にはねられて亡《な》くなったんだから!!」

佐藤刑事《さとうけいじ》に真実《しんじつ》を突《つ》きつけられ、笛本《ふえもと》は表情《ひょうじょう》を凍《こお》りつかせた。

「そ、そんな…バカな…」

「だからホラ! 早《はや》く高木君《たかぎくん》の居場所《いばしょ》を…」

突然《とつぜん》、笛本《ふえもと》の顔《かお》が大《おお》きくゆがんだ。うぐっと、うめき声《ごえ》をあげたかと思《おも》うと「ぐぁぁ…」と苦《くる》しみながら身体《からだ》をのけぞらせる。

(ま、まさかワインに毒《どく》!?)

佐藤刑事《さとうけいじ》は、笛本《ふえもと》が飲《の》んでいたワイングラスに視線《しせん》を走《はし》らせた。

このまま笛本《ふえもと》に死《し》なれたら、高木刑事《たかぎけいじ》の居場所《いばしょ》がわからなくなってしまう。

「救急車《きゅうきゅうしゃ》! 早《はや》く!!」

「は、はい!!」

佐藤刑事《さとうけいじ》に怒鳴《どな》られ、そばにいた刑事《けいじ》があわてて電話《でんわ》をかける。

笛本《ふえもと》の顔色《かおいろ》は、みるみる悪《わる》くなっていった。冷《ひ》や汗《あせ》をかき、口《くち》の端《はし》からは唾液《だえき》が垂《た》れている。

「か、彼《かれ》は…」

「どこ!?　どこなの？」

何《なに》かを言《い》いかける笛本《ふえもと》に、佐藤刑事《さとうけいじ》は必死《ひっし》に問《と》いかけた。

しかし笛本《ふえもと》は、パクパクと口《くち》を開《あ》け閉《し》めするばかりで、言葉《ことば》を発《はっ》することが出来《でき》ない。

そしてそのまま、あっという間《ま》にガクッと力尽《ちからつ》きてしまった。

「どこなのよォ～!?」


佐藤刑事《さとうけいじ》との電話《でんわ》が途中《とちゅう》で途切《とぎ》れてしまったので、警視庁《けいしちょう》にいたコナンたちや関係者《かんけいしゃ》たちは、現場《げんば》で何《なに》が起《お》きたのかと心配《しんぱい》していた。

松本管理官《まつもとかんりかん》は、状況《じょうきょう》を確認《かくにん》するため、佐藤刑事《さとうけいじ》の携帯《けいたい》に直接電話《ちょくせつでんわ》をかけた。

「おい佐藤《さとう》!!　どーした!?　状況《じょうきょう》は!?　被疑者《ひぎしゃ》は確保《かくほ》できたのか!?　佐藤《さとう》!?」

佐藤刑事《さとうけいじ》が、こわばった声《こえ》で応答《おうとう》する。

『管理官《かんりかん》…。残念《ざんねん》ですが…先程《さきほど》、被疑者《ひぎしゃ》、笛本隆策《ふえもとりゅうさく》の死亡《しぼう》が確認《かくにん》されました…。どうやら、我々《われわれ》の突入時《とつにゅうじ》に笛本《ふえもと》が飲《の》んでいたワインの中《なか》に、毒《どく》が混入《こんにゅう》されていたものと…』

「被疑者《ひぎしゃ》が死《し》んだ⁉　誰《だれ》かに毒殺《どくさつ》されたのか⁉」

『いえ…毒《どく》のビンが、ワインボトルのそばに置《お》いてあるので…最初《さいしょ》から、警察《けいさつ》が来《き》たら自《みずか》ら命《いのち》を絶《た》つ事《こと》を決意《けつい》していたようです…。爆弾《ばくだん》を所持《しょじ》していた所《ところ》を見《み》ると、恐《おそ》らく、我々《われわれ》が強行《きょうこう》に確保《かくほ》しようとした場合《ばあい》は爆死《ばくし》…話《はな》す余地《よち》があるなら、毒《どく》を飲《の》んで我々《われわれ》が落胆《らくたん》する様子《ようす》を見《み》たかったのではないかと…。被疑者《ひぎしゃ》は、我々警察《われわれけいさつ》を恨《うら》んでいたようですから…』

「それが誤解《ごかい》だという事《こと》は話《はな》したのか⁉」

『はい…』

佐藤刑事《さとうけいじ》は固《かた》い声《こえ》で答《こた》えた。

『「あなたが拉致《らち》した高木渉《たかぎわたる》は、同《おな》じ警視庁《けいしちょう》の刑事《けいじ》だった伊達航《だてわたる》との間違《まちが》いで…しかも動機《どうき》であるナタリーさんの首吊《くびつ》り自殺《じさつ》は、彼《かれ》に捨《す》てられたからではなく、交通事故《こうつうじこ》で彼《かれ》が亡《な》くなったからだ」と…。ですが、その話《はなし》をした時《とき》にはもう毒《どく》を飲《の》んでいて…高木巡査部長《たかぎじゅんさぶちょう》を拉致《らち》している場所《ばしょ》を話《はな》す前《まえ》に…』

「その被疑者《ひぎしゃ》の部屋《へや》から、手掛《てが》かりになるような物《もの》は出《で》なかったのか？」

『はい…現在捜索中《げんざいそうさくちゅう》ですが、まだ…』

こうしている今《いま》も、佐藤刑事《さとうけいじ》と一緒《いっしょ》に踏《ふ》みこんだ刑事《けいじ》たちが、笛本《ふえもと》の部屋《へや》を捜索《そうさく》している。しかし、めぼしいものはなかなか見《み》つけられずにいた。

『唯一発見《ゆいいつはっけん》したのは、拉致《らち》した時《とき》に奪《うば》ったと思《おも》われる高木君《たかぎくん》の携帯電話《けいたいでんわ》で…受信《じゅしん》BOX《ボックス》の中《なか》に被疑者《ひぎしゃ》からのメールが何通《なんつう》かあり、その中《なか》の1つに…』

佐藤刑事《さとうけいじ》は、高木刑事《たかぎけいじ》の携帯《けいたい》に残《のこ》っていたメールを要約《ようやく》した。

『当初《とうしょ》は被疑者本人《ひぎしゃほんにん》が高木君《たかぎくん》に会《あ》いに来《く》るつもりだったけど、体《からだ》を悪《わる》くしてしまい代《か》わりに友人《ゆうじん》に話《はなし》を聞《き》きに行《い》ってもらおうと思《おも》ったが…友人《ゆうじん》も都合《つごう》が悪《わる》くなり、申《もう》し訳《わけ》ないが友《ゆう》人《じん》の為《ため》にとった航空《こうくう》チケットを送《おく》るから、それでこちらに来《き》て欲《ほ》しい…というメールがありました…』

「なるほど…。高木《たかぎ》はそのチケットで飛行機《ひこうき》に乗《の》ったから、乗客名簿《じょうきゃくめいぼ》に名前《なまえ》がなかったんだな？」

『ええ…その友人《ゆうじん》の名前《なまえ》が何《なん》だったかは書《か》いてありませんが…被疑者《ひぎしゃ》が書《か》いたと思《おも》われる

私宛《わたしあて》の未送信《みそうしん》のメールもあり…「警視庁《けいしちょう》の前《まえ》の植《う》え込《こ》みに高木刑事《たかぎけいじ》からの贈《おく》り物《もの》を置《お》いた」と書《か》いてありましたから…。多分《たぶん》、最初《さいしょ》はそうやって例《れい》のタブレットを渡《わた》そうとしたのではないかと…』

「そして、偶然高木《ぐうぜんたかぎ》と知《し》り合《あ》いの子供達《こどもたち》と出会《であ》い、タブレットを託《たく》したというわけか…」

『はい…。その方《ほう》が、置《お》いている間《あいだ》に誰《だれ》かに盗《と》られる危険《きけん》も消《き》えますし…』

「他《ほか》のメールに、高木《たかぎ》を拉致《らち》している場所《ばしょ》を臭《にお》わす事《こと》は書《か》いてないのか？」

『はい…。「空港《くうこう》に着《つ》いたら迎《むか》えに行《い》く」とだけ…』

「じゃあ引《ひ》き続《つづ》き、その部屋《へや》の捜索《そうさく》を続行《ぞっこう》しろ！」

『はい！』

松本管理官《まつもとかんりかん》と佐藤刑事《さとうけいじ》の会話《かいわ》は、周囲《しゅうい》にも聞《き》こえている。二人《ふたり》が電話《でんわ》を終《お》えると、白鳥《しらとり》刑事《けいじ》は浮《う》かない顔《かお》で「何《なに》も出《で》て来《こ》ない可能性《かのうせい》が高《たか》そうですね…」とつぶやいた。

「なにしろ相手《あいて》は、高木君《たかぎくん》を拉致《らち》している映像《えいぞう》だけが見《み》られるタブレットを我々《われわれ》に与《あた》えているのみ…。機能《きのう》をほぼ無効《むこう》にし、裏面《うらめん》の表記《ひょうき》も全《すべ》て削《けず》り取《と》られ…映像《えいぞう》の発信元《はっしんもと》は海外《かいがい》のサーバーを通《とお》していて、未《いま》だつかめていません…。最初《さいしょ》から警察《けいさつ》の前《まえ》で自殺《じさつ》するつもりだったのなら、拉致《らち》している場所《ばしょ》を示《しめ》すような物《もの》は何《なに》も残《のこ》していないかと…」

「普通《ふつう》に考《かんが》えれば被疑者《ひぎしゃ》の故郷《こきょう》の北海道《ほっかいどう》だが…」

松本管理官《まつもとかんりかん》が、携帯《けいたい》をしまいながら言《い》う。

「一応《いちおう》、地元《じもと》の建設業者《けんせつぎょうしゃ》などに調《しら》べてもらっているんですが…映像《えいぞう》に映《うつ》っているような4階以上《かいいじょう》の建造物《けんぞうぶつ》の工事現場《こうじげんば》で…高木《たかぎ》を発見《はっけん》したという報告《ほうこく》はまだ…」

目暮警部《めぐれけいぶ》が言《い》うと、松本管理官《まつもとかんりかん》はあごに手《て》を当《あ》てて、「残《のこ》る手掛《てが》かりは高木《たかぎ》のあの映像《えいぞう》だけか…」と考《かんが》えこんだ。

「雨《あめ》か雪《ゆき》でも降《ふ》ってくれれば、場所《ばしょ》が絞《しぼ》れるんですが…」

「映《うつ》っていたのはカラスだけだからな…」

白鳥刑事《しらとりけいじ》と目暮警部《めぐれけいぶ》が、難《むずか》しい顔《かお》で言《い》う。するとコナンが、

「カラスが映《うつ》ってたの？」

と、口《くち》を挟《はさ》んだ。

「あ、ああ…」

「それ、録画《ろくが》してるなら、ボク達《たち》にも見《み》せて！　動物《どうぶつ》なら大人《おとな》より子供《こども》の方《ほう》が…色々詳《いろいろくわ》し

いと思《おも》うよ？」

コナンの言葉《ことば》に、元太《げんた》と光彦《みつひこ》、そして歩美《あゆみ》も、自信満々《じしんまんまん》の表情《ひょうじょう》でうなずいた。


コナンたちはさっそく、カラスが映《うつ》りこんできた時《とき》の映像《えいぞう》を見《み》せてもらった。

しかし、映像《えいぞう》を見《み》ても特《とく》にピンとこない。元太《げんた》と光彦《みつひこ》は「うーん…ただのカラスだよなあ？」「ですね…」と首《くび》を傾《かし》げた。

「でもホラ、首《くび》のトコ灰色《はいいろ》だよ？」

と、歩美《あゆみ》が動画《どうが》を指《ゆび》さして言《い》う。

見《み》ると確《たし》かに、カラスの羽毛《うもう》は、後頭部《こうとうぶ》から首《くび》にかけて灰色《はいいろ》だ。コナンはカラスの様子《ようす》をまじまじと観察《かんさつ》した。

（こ、こいつは…西《ニシ》コクマルガラス！　でも確《たし》か、このカラスって…）

その時《とき》、佐藤刑事《さとうけいじ》が警視庁《けいしちょう》に戻《もど》ってきた。

「佐藤《さとう》、戻《もど》りました！」

「それで？　何《なに》かわかったか？」

松本管理官《まつもとかんりかん》に聞《き》かれ、佐藤刑事《さとうけいじ》は「いえ…」と首《くび》を振《ふ》った。

「パソコンのデータも全《すべ》て消去《しょうきょ》した後《あと》のようで…今《いま》、爆弾《ばくだん》の入手経路《にゅうしゅけいろ》をあたらせていますが、まだ何《なに》も…」

松本管理官《まつもとかんりかん》が、「そうか…」と無念《むねん》そうにつぶやく。

「そ、それで高木君《たかぎくん》は…？」

佐藤刑事《さとうけいじ》がもどかしそうに聞《き》くと、松本管理官《まつもとかんりかん》は、デスクの上《うえ》に置《お》かれたタブレット端《たん》末《まつ》を目《め》で指《さ》した。ちょうどディスプレイをつけて、千葉刑事《ちばけいじ》やほかの刑事《けいじ》たちが動画《どうが》の様《よう》子《す》を確認《かくにん》しているところだ。

「まだ生《い》きているよ…。かなり衰弱《すいじゃく》しているようだが…」

すると、映像《えいぞう》を確認《かくにん》していた刑事《けいじ》たちが、急《きゅう》に「オォ〜!!」と色《いろ》めき立《た》った。

「ど、どうしたの!?」

「高木《たかぎ》さん、昨夜《ゆうべ》からずっと動《うご》いてて、寒《さむ》くて体《からだ》を動《うご》かしてると思《おも》ったら…実《じつ》は足《あし》のロープを板《いた》の角《かど》で切《き》ろうとしていて…それが今《いま》、切《き》れたんですよ!!」

千葉《ちば》刑事《けいじ》が興奮《こうふん》して説明《せつめい》すると、佐藤《さとう》刑事《けいじ》は「そっか！」と声《こえ》を弾《はず》ませた。

「左右《さゆう》の足《あし》を板《いた》の両側《りょうがわ》からそれぞれ出《だ》せば、落《お》ちにくくなるわね！　でも何《なに》？　足《あし》で何《なに》かしてるわよ？」

高木《たかぎ》刑事《けいじ》は、せっかく自由《じゆう》になった両足《りょうあし》を板《いた》の両側《りょうがわ》に出《だ》そうとはせず、曲《ま》げたり伸《の》ばしたりしたりしていた。

「板《いた》にかかったシートを手繰《たぐ》り寄《よ》せているんじゃ…体《からだ》にかけて少《すこ》しでも体温《たいおん》を逃《に》がさない為《ため》に…」

動画《どうが》を見守《みまも》りながら、千葉《ちば》刑事《けいじ》がつぶやく。

しかし、高木《たかぎ》刑事《けいじ》は、足元《あしもと》にかかっていたブルーシートを引《ひ》き寄《よ》せると、身体《からだ》にかけるどころか、バッと下《した》に落《お》としてしまった。

「ウソ…。下《した》に落《お》としたわよ⁉　な、何《なん》で⁉」

驚《おどろ》く佐藤《さとう》刑事《けいじ》の横《よこ》で、別《べつ》の刑事《けいじ》が「シートが落《お》ちた音《おと》で、誰《だれ》かに気《き》づかせたいのか？」と、つぶやいた。

（だ、誰《だれ》か…気《き》づいてくれ…）

高木刑事《たかぎけいじ》は、ブルーシートが落《お》ちていくのを目《め》の端《はし》で確認《かくにん》しながら、必死《ひっし》にそう祈《いの》っていた。

（ん？）

さっきまではブルーシートに隠《かく》れて見《み》えなかったが、高木刑事《たかぎけいじ》が寝《ね》かされている板《いた》の裏側《うらがわ》には、何《なに》かが貼《は》りつけられているようだ。

（こ、これは!?）

その正体《しょうたい》に気付《きづ》いて、高木刑事《たかぎけいじ》は目《め》を見張《みは》った。

タブレット端末《たんまつ》に配信《はいしん》されていた動画《どうが》のアングルが切《き》り替《か》わり、佐藤刑事《さとうけいじ》も、板《いた》の裏側《うらがわ》に何《なに》かあることに気《き》が付《つ》いた。ビニールの袋《ふくろ》に入《い》れられ、テープで板《いた》に貼《は》り付《つ》けられている。これは――……

「ば、爆弾《ばくだん》!?」

笛本《ふえもと》は、高木刑事《たかぎけいじ》のそばに爆弾《ばくだん》を仕掛《しか》けていたのだ。ほかの刑事《けいじ》たちも寄《よ》ってきて、動画《どうが》に映《うつ》った爆弾《ばくだん》の様子《ようす》をまじまじと観察《かんさつ》した。

「タイマーのような物《もの》も見《み》えるな…」

「時限式《じげんしき》か!?」

松本管理官《まつもとかんりかん》は、白鳥刑事《しらとりけいじ》の方《ほう》を振《ふ》り返《かえ》った。

「おい白鳥《しらとり》…ナタリーさんが首《くび》を吊《つ》った時間《じかん》、わかるか？」

「た、確《たし》か、死亡推定時刻《しぼうすいていじこく》は午前《ごぜん》10時頃《じごろ》だったと…」

白鳥刑事《しらとりけいじ》が言《い》うのを聞《き》いて、目暮警部《めぐれけいぶ》は「お、おい…」と声《こえ》を震《ふる》わせた。

「その日《ひ》はちょうど1年前《ねんまえ》の明日《あした》…。その時間《じかん》に爆発《ばくはつ》するように、タイマーをセットしていたとしたら…」

「いかにあがいても、残《のこ》り18時間足《じかんた》らずで、高木《たかぎ》は吹《ふ》っ飛《と》ぶというわけか…」

松本管理官《まつもとかんりかん》が腕時計《うでどけい》を見《み》ながら言《い》い、佐藤刑事《さとうけいじ》は「そ、そんな…」と身震《みぶる》いした。たったの十八時間《じゅうはちじかん》で、どうやって高木刑事《たかぎけいじ》の居場所《いばしょ》を特定《とくてい》すればいいのだろう。

その時《とき》、タブレット端末《たんまつ》を見《み》ていた千葉刑事《ちばけいじ》が、

「ちょ、ちょっと待《ま》ってください！」

とあわてた様子《ようす》で声《こえ》をあげた。

「ば、爆弾《ばくだん》を固定《こてい》してるガムテがはがれて…。今《いま》にも落《お》ちそうです!!」


（え？）

高木刑事《たかぎけいじ》は、爆弾《ばくだん》を固定《こてい》しているガムテープがはがれかかっていることに気付《きづ》くと、あわてて足《あし》を伸《の》ばした。

（くそっ!!）

縛《しば》られた状態《じょうたい》では、身動《みうご》きがとりづらい。

しかし、高木刑事《たかぎけいじ》はなんとか身体《からだ》をよじらせて、靴《くつ》の先《さき》を爆弾《ばくだん》に触《ふ》れさせることに成功《せいこう》した。

「た、高木君《たかぎくん》!!」

佐藤刑事《さとうけいじ》は、必死《ひっし》に動画《どうが》に向《む》かって呼《よ》びかけた。

「大丈夫《だいじょうぶ》! 高木《たかぎ》さんも気《き》づいて…足《あし》で落《お》とそうとしてる!!」

と、千葉刑事《ちばけいじ》がほっとした表情《ひょうじょう》を浮《う》かべる。千葉刑事《ちばけいじ》の言《い》う通《とお》り、高木刑事《たかぎけいじ》は足《あし》を伸《の》ばして、はがれかかっている爆弾《ばくだん》をなんとか下《した》へけり落《お》そうとしているように見《み》えた。

「行《い》け、高木《たかぎ》!!」

「もう少《すこ》しだ!!」

「落《お》とせェ!!!」

刑事《けいじ》たちはみんな、口々《くちぐち》に高木刑事《たかぎけいじ》に声援《せいえん》を送《おく》った。

ところが――

(え?)

高木刑事《たかぎけいじ》は、爆弾《ばくだん》をけり落《お》とすどころか、両足《りょうあし》の間《あいだ》に挟《はさ》んで持《も》ち上《あ》げると、板《いた》の上《うえ》にコトッと置《お》いてしまった。

「い、板《いた》の上《うえ》にのせやがった!?」

「何《なに》やってんだ、高木《たかぎ》!?」

せっかく爆弾《ばくだん》を落《お》とすチャンスだったのに、どうしてわざわざ自分《じぶん》の身体《からだ》の近《ちか》くに置《お》いたのか——不思議《ふしぎ》がる刑事《けいじ》たちに「誰《だれ》かいるんだよ…」と、コナンが低《ひく》い声《こえ》で指摘《してき》した。

「え？」

「下《した》で誰《だれ》かの声《こえ》が聞《き》こえてたから、高木刑事《たかぎけいじ》は落《お》とさなかったんだ…。そのタブレット…音声《おんせい》、来《き》てないでしょ？　なのに高木刑事《たかぎけいじ》の口《くち》をガムテでふさいでるって事《こと》は…声《こえ》が届《とど》く範囲《はんい》に人《ひと》が通《とお》るかもしれない場所《ばしょ》のはずだから…」

「じゃあ高木君《たかぎくん》は…その誰《だれ》かを守《まも》る為《ため》に…」

つぶやいて、佐藤刑事《さとうけいじ》は動画《どうが》の中《なか》の高木刑事《たかぎけいじ》をじっと見《み》つめた。

その横《よこ》では、強面《こわもて》の刑事《けいじ》たちが、「た、高木《たかぎ》…」と感動《かんどう》して涙《なみだ》ぐんでいた。

コナンの推理通《すいりどお》り、高木刑事《たかぎけいじ》は、住宅街《じゅうたくがい》の一角《いっかく》に囚《とら》われていた。近《ちか》くを通《とお》りかかった子《こ》供《ども》たちの楽《たの》しそうな話《はな》し声《ごえ》が、高木刑事《たかぎけいじ》の耳《みみ》にははっきりと聞《き》こえていた。

「明日《あした》、誰《だれ》が一番《いちばん》になるかなぁ？」

「ウチの父《とう》ちゃんに決《き》まってるべ！　父《とう》ちゃんの、最強《さいきょう》だから！」

明日行《あしたおこな》われる凧揚《たこあ》げ大会《たいかい》について話《はな》しているらしい子供《こども》たちの会話《かいわ》を聞《き》きながら、高木《たかぎ》刑事《けいじ》は（さ、最強《さいきょう》…）と、心《こころ》の中《なか》でつぶやいた。「最強《さいきょう》」という言葉《ことば》から連想《れんそう》されるのは、生前《せいぜん》の伊達刑事《だてけいじ》の姿《すがた》だ。

伊達刑事《だてけいじ》は身体《からだ》が大《おお》きく、腕力《わんりょく》も強《つよ》かった。ある事件《じけん》の被疑者《ひぎしゃ》が逃亡《とうぼう》しようとした時《とき》には、いとも簡単《かんたん》に確保《かくほ》してしまったほどだ。

「でも伊達《だて》さん、最強《さいきょう》っスね！」

事件《じけん》の後《あと》、高木刑事《たかぎけいじ》はそう言《い》って、伊達刑事《だてけいじ》に賞賛《しょうさん》を送《おく》った。

「あんな巨漢《きょかん》の被疑者《ひぎしゃ》を瞬時《しゅんじ》に確保《かくほ》しちゃうとは…。警察学校《けいさつがっこう》の成績《せいせき》もトップだったたって聞《き》きましたよ？」

すると伊達刑事《だてけいじ》は、どこか楽《たの》しげに「バーカ！」と笑《わら》った。

「そいつはガセネタ、俺《おれ》はいつも2番《ばん》だったぜ…。頭《あたま》も体《からだ》も、アイツには一度《いちど》も敵《かな》わなかったからな…」

高木刑事《たかぎけいじ》が「アイツ?」と聞《き》くと、伊達刑事《だてけいじ》は昔《むかし》を思《おも》い出《だ》すように天井《てんじょう》を見上《みあ》げた。

「お前《まえ》のようなヒョロっとした優男《やさおとこ》だったよ…。今《いま》はどこで何《なに》やってんだか…。自分《じぶん》の力《ちから》を過信《かしん》して、無茶《むちゃ》してどっかでおっ死《ち》んじまってるかもな…」

そう言《い》うと、伊達刑事《だてけいじ》は高木刑事《たかぎけいじ》にウィンクをして、「お前《まえ》も気《き》ィつけろよ…」と続《つづ》けた。

「刑事《けいじ》といえど、命《いのち》は1つ…。そいつの張《は》り所《どころ》を間違《まちが》えるんじゃねぇぜ?」

命《いのち》は一《ひと》つ——その言葉通《ことばどお》り、伊達刑事《だてけいじ》は事故《じこ》に遭《あ》って殉職《じゅんしょく》してしまった。

(伊達《だて》さん…)

今《いま》はもういない先輩《せんぱい》の顔《かお》を思《おも》い浮《う》かべ、高木刑事《たかぎけいじ》は心《こころ》の中《なか》でひっそりと呼《よ》びかけた。


その頃《ころ》、コナンは、映像《えいぞう》に映《うつ》っていた西《ニシ》コクマルガラスの様子《ようす》から、高木刑事《たかぎけいじ》のいる場《ば》所《しょ》を絞《しぼ》りこんでいた。

「ええっ⁉　高木君《たかぎくん》が拉致《らち》されてる場所《ばしょ》を、北海道《ほっかいどう》に限定《げんてい》した方《ほう》がいいって…何《なん》でだね、コナン君《くん》？」

高木刑事《たかぎけいじ》は北海道《ほっかいどう》にいる――というコナンの助言《じょげん》を受《う》け、目暮警部《めぐれけいぶ》は驚《おどろ》いて聞《き》き返《かえ》した。

「だって、高木刑事《たかぎけいじ》と映《うつ》ってるカラスは多分《たぶん》、西《ニシ》コクマルガラスだよ？　西《ニシ》コクマルガラスは大体《だいたい》ヨーロッパにいるんだけど、２回《かい》だけ日本《にっぽん》に迷《まよ》い込《こ》んで来《き》た事《こと》があって…その２回《かい》とも、北海道《ほっかいどう》だったんだよ！」

自信満々《じしんまんまん》に言《い》うコナンだが、目暮警部《めぐれけいぶ》は「だが、それだけで北海道《ほっかいどう》だと決《き》めつけるのは…」と、半信半疑《はんしんはんぎ》だ。

その時《とき》、映像《えいぞう》を確認《かくにん》していた佐藤刑事《さとうけいじ》が、高木刑事《たかぎけいじ》の背後《はいご》の空《そら》に不思議《ふしぎ》な光《ひかり》が映《うつ》りこんでいることに気《き》が付《つ》いた。

「何《なに》？　あの光《ひかり》…」

「さあ？」と、千葉刑事《ちばけいじ》が首《くび》を傾《かし》げる。

目暮警部《めぐれけいぶ》が「ん？」と振《ふ》り返《かえ》ると、千葉刑事《ちばけいじ》は、タブレット画面《がめん》を指《ゆび》さした。

「ホラ、ここです！　高木《たかぎ》さんのバックの空《そら》に…細《ほそ》い光《ひかり》の柱《はしら》が…」

見《み》ると確《たし》かに、暮《く》れかけた空《そら》に、オレンジ色《いろ》の光《ひかり》の柱《はしら》が立《た》っている。

「サンピラー現象《げんしょう》…。日《ひ》の出《で》や日没後《にちぼつご》に、太陽《たいよう》の光《ひかり》が空気中《くうきちゅう》のダイヤモンドダストに反射《はんしゃ》して、柱状《ちゅうじょう》に輝《かがや》いて見《み》える…」

コナンの解説《かいせつ》に、目暮警部《めぐれけいぶ》が「え？」と驚《おどろ》く。

「これって寒《さむ》い北海道《ほっかいどう》ぐらいでしか見《み》られないって、ネットに書《か》いてあるよ！」

そう言《い》って、コナンは携帯《けいたい》の画面《がめん》を見《み》せた。ダイヤモンドダストが発生《はっせい》しているということは、外気温《がいきおん》はかなり低《ひく》くなっているはずだ。

「お、おい、高木《たかぎ》ってそんな寒《さむ》い所《ところ》にいんのかよ？」

「じゃあ早《はや》く助《たす》けてあげないと…」

「凍《こご》え死《じ》んでしまいますよ!!」

元太《げんた》、歩美《あゆみ》、光彦《みつひこ》が、いっせいにうろたえる。

「おい…。ダイヤモンドダストが発生《はっせい》する気温《きおん》…知《し》っているか？」

「た、確《たし》か…。氷点下《ひょうてんか》20度《ど》以下《いか》だったと…」

松本管理官《まつもとかんりかん》に聞《き》かれ、白鳥刑事《しらとりけいじ》が答《こた》えると、千葉刑事《ちばけいじ》は「マ、マイナス20度《ど》!?」と眉《まゆ》をつり上《あ》げた。

「かなり遠《とお》くに見《み》えたから、高木君《たかぎくん》がいる場所《ばしょ》もそうだとは限《かぎ》らないけど…」

白鳥刑事《しらとりけいじ》が心配《しんぱい》そうに言《い》い、佐藤刑事《さとうけいじ》も深刻《しんこく》な表情《ひょうじょう》で「それに近《ちか》い場所《ばしょ》にいる事《こと》は確《たし》かね…」とつぶやく。

「か、管理官《かんりかん》…」

目暮警部《めぐれけいぶ》に視線《しせん》を向《む》けられ、松本管理官《まつもとかんりかん》は「ウム…」とつぶやくと、カッと目《め》を見開《みひら》いて叫《さけ》んだ。

「北海道《ほっかいどう》だ!! 高木《たかぎ》が拉致《らち》されている場所《ばしょ》を、北海道《ほっかいどう》だと断定《だんてい》する!! 道警《どうけい》に捜査協力《そうさきょうりょく》を仰《あお》ぎ、北海道内《ほっかいどうない》の建設業者及《けんせつぎょうしゃおよ》び解体作業者全《かいたいさぎょうしゃすべ》てに連絡《れんらく》!! 再度調査《さいどちょうさ》するように要請《ようせい》しろ!!!」

「はい!!」

刑事《けいじ》たちが、声《こえ》をそろえて返事《へんじ》をする。

松本管理官《まつもとかんりかん》は、続《つづ》けて目暮警部《めぐれけいぶ》と佐藤刑事《さとうけいじ》の方《ほう》へ顔《かお》を向《む》けた。

「目暮《めぐれ》! お前《まえ》は佐藤《さとう》と共《とも》に、北海道《ほっかいどう》へ飛《と》べ!! 被疑者《ひぎしゃ》のメールの『友人《ゆうじん》』という言葉《ことば》から、現場《げんじょう》に共犯者《きょうはんしゃ》が潜《ひそ》んでいる可能性《かのうせい》もある…。拳銃《けんじゅう》の携帯《けいたい》を忘《わす》れるなよ!!」

「はい!!」

目暮警部《めぐれけいぶ》と佐藤刑事《さとうけいじ》は、勇《いさ》ましく返事《へんじ》をすると、ヘリポートのある屋上《おくじょう》へと向《む》かった。


目暮警部《めぐれけいぶ》と佐藤刑事《さとうけいじ》を乗《の》せたヘリコプターは、バババ…と大《おお》きな音《おと》を立《た》てながら、北海道《ほっかいどう》へと向《む》かっていった。

いつの間《ま》にか、外《そと》はすっかり日《ひ》が暮《く》れている。コナンと元太《げんた》、光彦《みつひこ》、歩美《あゆみ》は、白鳥刑事《しらとりけいじ》に車《くるま》で送《おく》ってもらい、帰路《きろ》についていた。

高木刑事《たかぎけいじ》が北海道《ほっかいどう》にいることはわかったが、まだ具体的《ぐたいてき》な場所《ばしょ》まで特定出来《とくていでき》たわけではない。後部座席《こうぶざせき》で車《くるま》に揺《ゆ》られながら、コナンは改《あらた》めて、高木刑事《たかぎけいじ》の居場所《いばしょ》について考《かんが》えていた。

(でも、妙《みょう》だな…北海道《ほっかいどう》の4階以上《かいいじょう》の工事現場《こうじげんば》は調《しら》べてるって言《い》ってたのに…何《なん》でまだ見《み》つからねーんだ? 仲間《なかま》が大勢《おおぜい》いて、自分達《じぶんたち》であの現場《げんば》を組《く》んだとしたら別《べつ》だけど…業者《ぎょうしゃ》に頼《たの》んだなら、４階以上《かいいじょう》の工事《こうじ》なんて調《しら》べればすぐにわかると思《おも》うけど…）

高木刑事《たかぎけいじ》が資料室《しりょうしつ》で三《みっ》つの事件《じけん》について調《しら》べていたことがわかった時点《じてん》で、警察《けいさつ》は北海道《ほっかいどう》、高知《こうち》、福岡《ふくおか》にある４階建《かいだ》て以上《いじょう》の工事現場《こうじげんば》を調《しら》べ始《はじ》めていた。それなのに、まだ見《み》つかっていないのは、少《すこ》し不思議《ふしぎ》だ。

（それに…高木刑事《たかぎけいじ》がシートを下《した》に落《お》としたのもひっかかる…。確《たし》かに…落《お》ちた音《おと》で現場《げんば》の近《ちか》くを通《とお》った誰《だれ》かが気《き》づくかもしれないけど…せっかく前《まえ》の日《ひ》に落《お》とした警察手帳《けいさつてちょう》がシートで隠《かく》れちまったら元《もと》も子《こ》もねぇ…。ひょっとしたら…あれには何《なに》か別《べつ》の意味《いみ》が…）

考《かんが》えながら、コナンはちらりと窓《まど》の外《そと》を見《み》やった。辺《あた》りはすでに真《ま》っ暗《くら》だ。

窓《まど》ガラスに映《うつ》った自分《じぶん》の顔《かお》と目《め》が合《あ》い、コナンはハッと目《め》を見開《みひら》いた。高木刑事《たかぎけいじ》のいる場所《ばしょ》が、急《きゅう》にひらめいたのだ。

「おい、光彦《みつひこ》！　オメー、高木刑事《たかぎけいじ》の映像《えいぞう》、ムービーで撮《と》ってたよな？」

「え、ええ、一応《いちおう》…」

「見《み》せてみろ‼」

光彦《みつひこ》から携帯《けいたい》を受《う》け取《と》り、コナンは食《く》い入《い》るようにムービーを見《み》つめた。

（まさか、高木刑事《たかぎけいじ》がいる場所《ばしょ》って…まさか…）

翌日《よくじつ》。

北海道《ほっかいどう》では、いまだ警察《けいさつ》による高木刑事《たかぎけいじ》の捜索《そうさく》が続《つづ》けられていた。目暮警部《めぐれけいぶ》と佐藤刑事《さとうけいじ》も、ヘリコプターに乗《の》って、上空《じょうくう》から高木刑事《たかぎけいじ》の姿《すがた》を探《さが》している。

しかし、四階建《よんかいだ》ての工事中《こうじちゅう》の建物《たてもの》をいくら調《しら》べても、高木刑事《たかぎけいじ》は一向《いっこう》に見《み》つからなかった。

「おい目暮《めぐれ》!!　高木《たかぎ》はまだ見《み》つからんのか!?」

しびれを切《き》らした松本管理官《まつもとかんりかん》が警視庁《けいしちょう》から電話《でんわ》をかけると、応対《おうたい》した目暮警部《めぐれけいぶ》は『はい…』と固《かた》い声《こえ》を出《だ》した。

『道警本部《どうけいほんぶ》のヘリにも捜索《そうさく》してもらっているんですが…場所《ばしょ》をもっと絞《しぼ》り込《こ》まないと、とても…。そちらには、何《なに》か報告《ほうこく》は入《はい》ってないんですか？』

「ああ…。夜《よる》が明《あ》けてから、もう一度《いちど》調《しら》べてもらったが…拉致映像《らちえいぞう》に映《うつ》っている、4階以《かいい》上《じょう》の工事現場《こうじげんば》で高木《たかぎ》は発見《はっけん》できなかったそうだ…」

『た、高木《たかぎ》は無事《ぶじ》ですか？』

松本管理官《まつもとかんりかん》は「ああ…」とうなずくと、タブレット端末《たんまつ》の映像《えいぞう》を確認《かくにん》して、

「今《いま》にも事切《ことき》れそうだがな…」

と付《つ》け加《くわ》えた。

画面《がめん》に映《うつ》る高木刑事《たかぎけいじ》は、虫《むし》の息《いき》だった。顔《かお》は土気色《つちけいろ》になり、目《め》の下《した》にはくっきりとクマが浮《う》いている。一刻《いっこく》も早《はや》く救出《きゅうしゅつ》しなければ手遅《ておく》れになってしまうだろう。

「…こうなると北海道以外《ほっかいどういがい》の場所《ばしょ》も考慮《こうりょ》に入《い》れて…」

松本管理官《まつもとかんりかん》が言《い》いかけると、目暮警部《めぐれけいぶ》が『あ…』と声《こえ》を出《だ》した。

「何《なん》だ？　どうした⁉」

『ゆ、雪《ゆき》です！　たった今雪《いまゆき》が！』

北海道《ほっかいどう》では雪《ゆき》が降《ふ》り始《はじ》めたらしい。佐藤刑事《さとうけいじ》の声《こえ》が電話《でんわ》に割《わ》りこんできて、『管理官《かんりかん》！　そっちはどうです⁉　高木君《たかぎくん》の映像《えいぞう》に雪《ゆき》は⁉』と、まくしたてた。

「こ、こっちにも雪《ゆき》が‼」

千葉刑事《ちばけいじ》が、映像《えいぞう》を確認《かくにん》して叫《さけ》ぶ。

松本管理官《まつもとかんりかん》は近《ちか》くにいた刑事《けいじ》に「気象庁《きしょうちょう》に確認《かくにん》!! 急《いそ》げ!!」と怒鳴《どな》り、刑事《けいじ》は「はい!!」と返事《へんじ》をして電話《でんわ》の受話器《じゅわき》を取《と》った。

別《べつ》の刑事《けいじ》は腕時計《うでどけい》を確認《かくにん》すると、あわてた様子《ようす》で松本管理官《まつもとかんりかん》に声《こえ》をかけた。

「か、管理官《かんりかん》! 拉致現場《らちげんば》の爆発予想時刻《ばくはつよそうじこく》まで、あと1時間《じかん》を切《き》りました!!」

「そんな事《こと》はわかっておるわ!」

気象庁《きしょうちょう》に電話《でんわ》をかけた刑事《けいじ》は、すぐに確認《かくにん》を取《と》って、大声《おおごえ》で松本管理官《まつもとかんりかん》に報告《ほうこく》した。

「雪《ゆき》は北海道《ほっかいどう》だけです! 北海道《ほっかいどう》のほぼ全域《ぜんいき》で、雪《ゆき》が降《ふ》り始《はじ》めたそうで…」

「やはり高木《たかぎ》の拉致現場《らちげんば》は北海道《ほっかいどう》だったか!」

そう言《い》うと、松本管理官《まつもとかんりかん》はあごに手《て》を当《あ》てて、「だが何故《なぜ》だ!?」と考《かんが》えこんだ。

「北海道内《ほっかいどうない》の4階以上《かいいじょう》の工事現場《こうじげんば》は、全《すべ》て調《しら》べ尽《つ》くしたというのに…。何故見《なぜみ》つからん!?」

「4階以上《かいいじょう》じゃないからさ…」

ふいに、刑事《けいじ》たちの会話《かいわ》に、コナンが口《くち》を挟《はさ》んだ。

「何《なに》!?」

松本管理官《まつもとかんりかん》が驚《おどろ》いて振《ふ》り返《かえ》ると、そこには、白鳥刑事《しらとりけいじ》に連《つ》れられたコナンと少年探偵団《しょうねんたんていだん》たちの姿《すがた》があった。今日《きょう》は阿笠博士《あがさはかせ》と灰原《はいばら》も一緒《いっしょ》だ。

「犯人《はんにん》は、トリックで4階以上《かいいじょう》に見《み》せかけていたんだよ！」

コナンが続《つづ》けて言《い》う。しかし、刑事《けいじ》たちはみな、なぜコナンたちがここにいるのかといぶかしげだ。

「あ、コナン君《くん》が、昨日見《きのうみ》た拉致映像《らちえいぞう》で気《き》づいた事《こと》があるというので、ここへ…」

一緒《いっしょ》にいた白鳥刑事《しらとりけいじ》が、あわてて説明《せつめい》を入《い》れる。

「その映像《えいぞう》を、ワシの家《いえ》で徹夜《てつや》で解析《かいせき》して…やっとその証拠《しょうこ》を見《み》つけたんじゃ…」

そう言《い》うと、阿笠博士《あがさはかせ》は、ふぁ、とあくびをかみ殺《ころ》した。

「その映像《えいぞう》なら、我々警察《われわれけいさつ》も穴《あな》が空《あ》く程見《ほどみ》まくったけど、何《なに》も…」

反論《はんろん》する刑事《けいじ》たちをじろりとにらみ、灰原《はいばら》は「ブレてる映像《えいぞう》はチェックしたのかしら？」と聞《き》いた。

「ブ、ブレてる映像《えいぞう》？」

「カメラが固定《こてい》された棒《ぼう》か何《なに》かに、カラスが留《と》まって揺《ゆ》れてたこの映像《えいぞう》だよ！」

言《い》いながら、コナンは警視庁《けいしちょう》のパソコンをカタカタと操作《そうさ》して、西《ニシ》コクマルガラスが映《うつ》りこんできた時《とき》の映像《えいぞう》を再生《さいせい》した。

「揺《ゆ》れてカメラの視点《してん》が微妙《びみょう》にズレてたから…コマ送《おく》りで見《み》てみたら…ホラ、高木刑事《たかぎけいじ》の左肩《ひだりかた》のそば…何《なに》か映《うつ》ってるでしょ？　フックみたいなのが…」

刑事《けいじ》たちは首《くび》を伸《の》ばして、コナンが指《ゆび》さした場所《ばしょ》を凝視《ぎょうし》した。確《たし》かに、高木刑事《たかぎけいじ》の乗《の》っている板《いた》の下《した》に、紐《ひも》につながったフックのようなものが小《ちい》さく映《うつ》っている。

「こ、これは…」

「警察手帳《けいさつてちょう》のヒモの先《さき》に付《つ》いておるフックじゃよ…」

阿笠博士《あがさはかせ》の言葉《ことば》で、刑事《けいじ》たちもようやく「じゃあこれは、高木《たかぎ》が落《お》とした警察手帳《けいさつてちょう》か！」と納得《なっとく》した。

「でも妙《みょう》な位置《いち》に映《うつ》ってないか？」

「あ、ああ…。まるで宙《ちゅう》に浮《う》いているような…」

「浮《う》いてるんじゃない…のってるだけさ…。鏡《かがみ》の上《うえ》にね！」

不可解《ふかかい》そうに言《い》う刑事《けいじ》たちに、コナンが告《つ》げる。

松本管理官《まつもとかんりかん》は「か、鏡《かがみ》!?」と、驚《おどろ》いた表情《ひょうじょう》を浮《う》かべた。

「だから高木刑事《たかぎけいじ》は警察手帳《けいさつてちょう》やシートを落《お》としたんだよ！　この鏡《かがみ》のトリックに気《き》づかせたくて…。まあ運悪《うんわる》く、板《いた》の陰《かげ》に隠《かく》れちゃったみたいだけどね…」

「つまり、正面《しょうめん》の映像《えいぞう》の下半分《したはんぶん》は鏡像《きょうぞう》…。実際《じっさい》は2階程度《かいていど》だったという事《こと》か…」

「うん！　高木刑事《たかぎけいじ》がまだ生《い》きてるのもその証拠《しょうこ》だよ！」

コナンが言《い》うと、白鳥刑事《しらとりけいじ》が不思議《ふしぎ》そうに「生《い》きているのが証拠《しょうこ》？」と聞《き》いた。

「わからないの？」

灰原《はいばら》が、あきれた表情《ひょうじょう》で説明《せつめい》する。

「サンピラー現象《げんしょう》は、氷点下《ひょうてんか》20度《どいか》以下でしか起《お》こらないのよ？　それが目視《もくし》できる極寒《ごっかん》の地《ち》に、人間《にんげん》が背広一枚《せびろいちまい》で放置《ほうち》されたら一日《いちにち》も待《ま》たずに凍死《とうし》するはずよ！」

「じゃ、じゃあ、何《なん》で高木《たかぎ》さんはまだ…」

千葉刑事《ちばけいじ》は、ぱちぱちとまばたきした。それほど寒《さむ》い場所《ばしょ》に放置《ほうち》されているのに、衰弱《すいじゃく》しているとはいえ、どうして高木刑事《たかぎけいじ》はまだ生《い》きているのだろう。

「鏡《かがみ》の裏《うら》に、電熱線《でんねつせん》をはわせてるんだよ！　雪《ゆき》が降《ふ》っても積《つ》もらないように熱《ねつ》で溶《と》かす為《ため》に……」

コナンは、千葉刑事《ちばけいじ》の疑問《ぎもん》に答《こた》えて言《い》うと、「だよね？　博士《はかせ》！」と阿笠博士《あがさはかせ》の方《ほう》を振《ふ》り返《かえ》った。この推理《すいり》はコナンではなく、阿笠博士《あがさはかせ》が考《かんが》えたということにしてあるのだ。阿《あ》笠博士《がさはかせ》は、事前《じぜん》の打《う》ち合《あ》わせ通《どお》りに話《はなし》を合《あ》わせた。

「あ、ああ…雪《ゆき》が積《つ》もったら鏡《かがみ》だとバレてしまうからのォ…。まあその熱《ねつ》で若干気温《じゃっかんきおん》が上《あ》がり、高木刑事《たかぎけいじ》には幸《さいわ》いしたようじゃがな…」

松本管理官《まつもとかんりかん》は「よーし」と仕切《しき》り直《なお》して、刑事《けいじ》たちに指示《しじ》を出《だ》した。

「捜索《そうさく》の対象《たいしょう》を、２階以下《かいいか》の工事現場《こうじげんば》に変更《へんこう》！　２階以下《かいいか》なら一戸建《いっこだ》ての家屋《かおく》の可能性《かのうせい》が高《たか》い！　リフォーム業者《ぎょうしゃ》も捜査対象《そうさたいしょう》に入《い》れるよう、道警本部《どうけいほんぶ》に要請《ようせい》しろ!!」

「はい!!」

松本管理官《まつもとかんりかん》は続《つづ》けて、北海道《ほっかいどう》の目暮警部《めぐれけいぶ》に電話《でんわ》を入《い》れた。

「目暮《めぐれ》！　現場《げんば》は恐《おそ》らく屋根《やね》をぶち抜《ぬ》いた一軒家《いっけんや》だ！　空《そら》からの方《ほう》が見《み》つけやすい!!　恐《おそ》らく爆発《ばくはつ》まで残《のこ》り40分《ぷん》！　それまでに是《ぜ》が非《ひ》でも高木《たかぎ》を見《み》つけろ!!」

『了解《りょうかい》しました！』

返事《へんじ》をする目暮警部《めぐれけいぶ》の隣《となり》では、佐藤刑事《さとうけいじ》が、ヘリコプターの窓《まど》から必死《ひっし》に高木刑事《たかぎけいじ》の姿《すがた》を探《さが》していた。

(どこ!?　どこなの、高木君《たかぎくん》!?)

一方《いっぽう》、高木刑事《たかぎけいじ》も、ただ助《たす》けを待《ま》っているだけではなかった。口《くち》をふさぐガムテープをなんとかはがそうと、悪戦苦闘《あくせんくとう》していたのだ。

「か、管理官《かんりかん》!!　高木《たかぎ》さんが…口《くち》のガムテの端《はし》を、横《よこ》の鉄柱《てっちゅう》に貼《は》りつけて…」

映像《えいぞう》を確認《かくにん》した千葉刑事《ちばけいじ》が、あわてて松本管理官《まつもとかんりかん》を呼《よ》ぶ。

「は、はがしたのか!?」

松本管理官《まつもとかんりかん》が駆《か》け寄《よ》って映像《えいぞう》を確認《かくにん》すると、千葉刑事《ちばけいじ》の言《い》う通《とお》り、高木刑事《たかぎけいじ》はガムテープを口《くち》からはがしていた。時間《じかん》が経《た》ってはがれてきたガムテープの端《はし》を、頭《あたま》の横《よこ》にあった鉄柱《てっちゅう》に貼《は》り付《つ》けたようだ。

「おおっ!!　助《たす》けが呼《よ》べるぞ!!」

と、刑事《けいじ》たちは色《いろ》めき立《た》ったが、高木刑事《たかぎけいじ》はハァハァと浅《あさ》い呼吸《こきゅう》を繰《く》り返《かえ》すばかりで、声《こえ》をあげようとしない。

「おい、どーした高木《たかぎ》？」

「何《なん》で叫《さけ》ばない!?」

動揺《どうよう》する千葉《ちば》刑事《けいじ》やほかの刑事《けいじ》たちに、灰原《はいばら》が冷静《れいせい》に告《つ》げた。

「衰弱《すいじゃく》しきって声《こえ》が出《だ》せないのよ…。２日以上水《かいじょうみず》を口《くち》にしてないから、ノドはカラカラだろうし…」

それを聞《き》いた刑事《けいじ》たちは「そ、そんな…」「高木《たかぎ》ィ…」とがっかりして、肩《かた》を落《お》とした。

その時《とき》、コナンが映像《えいぞう》の背景《はいけい》に目《め》を留《と》めて「ちょっと待《ま》って！」と叫《さけ》んだ。

「高木刑事《たかぎけいじ》のバックの空《そら》に映《うつ》ってるアレ…凧《たこ》じゃない？　しかも…１つや２つじゃないよ！」

見《み》ると確《たし》かに、空《そら》にひらひらといくつかの凧《たこ》が揚《あ》がっている。

「た、凧揚《たこあ》げ大会《たいかい》!!」

刑事《けいじ》たちが目《め》を丸《まる》くして叫《さけ》び、松本管理官《まつもとかんりかん》は即座《そくざ》に、「白鳥《しらとり》！　場所《ばしょ》わかるか!?」と、白鳥刑事《しらとりけいじ》に向《む》かって怒鳴《どな》った。

「はい！」

白鳥刑事《しらとりけいじ》は、すかさず携帯電話《けいたいでんわ》を操作《そうさ》して、北海道《ほっかいどう》で凧揚《たこあ》げ大会《たいかい》が行《おこな》われている場所《ばしょ》を調《しら》べた。

「本日《ほんじつ》、北海道《ほっかいどう》で凧揚《たこあ》げ大会《たいかい》が行《おこな》われているのは…池口町《いけぐちちょう》、狛前町《こまえちょう》、火唄市《ひばいし》の3か所《しょ》です！」

「至急《しきゅう》、その旨《むね》を道警本部《どうけいほんぶ》に伝《つた》えろ!!」

「はい！」

これで高木刑事《たかぎけいじ》のいる場所《ばしょ》をかなり詳細《しょうさい》に絞《しぼ》りこめた。しかし、爆発時刻《ばくはつじこく》はもうすぐだ。

松本管理官《まつもとかんりかん》は、あせって腕時計《うでどけい》を眺《なが》めた。

「しかし1つに絞《しぼ》れんのか!?　爆発《ばくはつ》まで5分《ふん》もないぞ!!」

「く、口《くち》を…高木《たかぎ》さん、口《くち》を動《うご》かして何《なに》かを伝《つた》えようとしています！」

千葉刑事《ちばけいじ》が、映像《えいぞう》を見《み》ながら報告《ほうこく》した。

「何《なに》!?」

「でも正面《しょうめん》の映像《えいぞう》じゃない上《うえ》に、雪《ゆき》で遮《さえぎ》られて…唇《くちびる》を読《よ》む事《こと》は…」

高木刑事《たかぎけいじ》は、唇《くちびる》を必死《ひっし》に動《うご》かして何《なに》かを伝《つた》えようとしているようだった。しかし、横《よこ》からの映像《えいぞう》なので、唇《くちびる》を読《よ》むことが難《むずか》しい。かろうじてわかるのは、途中《とちゅう》で二回《にかい》、唇《くちびる》がくっついているということだけだ。

「狛前《こままえ》…」

高木刑事《たかぎけいじ》の唇《くちびる》の動《うご》きを確認《かくにん》しながら、コナンがゆっくりとつぶやいた。

「えっ…」

「一度口《いちどくち》を閉《と》じなきゃ発音《はつおん》できないのは、『ま』行《ぎょう》と『ば』行《ぎょう》と『ぱ』行《ぎょう》の3つ！　場所《ばしょ》を伝《つた》えようとしてたなら、さっきの3か所《しょ》でそれが2文字入《もじはい》るのは、狛前町《こままえちょう》だけだよ!!」

コナンの推理《すいり》を聞《き》き、松本管理官《まつもとかんりかん》はすぐさま電話《でんわ》に向《む》かって叫《さけ》んだ。

「目暮《めぐれ》ェ!!　狛前町《こままえちょう》だ!!　狛前町《こままえちょう》に急行《きゅうこう》しろ!!　高木《たかぎ》はそこにいる!!」

目暮警部《めぐれけいぶ》と佐藤刑事《さとうけいじ》を乗《の》せたヘリコプターは、ちょうど狛前町《こままえちょう》の上空《じょうくう》にいた。

『こ、狛前町《こままえちょう》なら丁度今《ちょうどいま》、その上空《じょうくう》に…』

松本管理官《まつもとかんりかん》と話《はな》す目暮警部《めぐれけいぶ》の声《こえ》を聞《き》きながら、佐藤刑事《さとうけいじ》は窓《まど》の外《そと》をのぞきこんだ。すると、建設中《けんせつちゅう》の二階建《にかいだ》ての民家《みんか》に、高木刑事《たかぎけいじ》らしき人影《ひとかげ》があった。

「!!」

(いた…高木君《たかぎくん》!!)

高木刑事《たかぎけいじ》が寝《ね》かされた板《いた》は、二階《にかい》にあたる位置《いち》に組《く》まれた足場《あしば》に渡《わた》されていた。屋根《やね》は半分《はんぶん》ほどしか完成《かんせい》していないため、高木刑事《たかぎけいじ》の身体《からだ》は無防備《むぼうび》に外気《がいき》にさらされている。すっかり青《あお》ざめて弱《よわ》っているのが、ヘリコプターの上《うえ》からでもよくわかった。

「高木発見《たかぎはっけん》! 現場《げんじょう》は狛前町《こままえちょう》3丁目《ちょうめ》近辺《きんぺん》!! 共犯者《レツ》はいない模様《もよう》!!」

目暮警部《めぐれけいぶ》が、電話《でんわ》の向《む》こうの松本管理官《まつもとかんりかん》に向《む》かって報告《ほうこく》する。

『急《いそ》げ!! 2分《ふん》を切《き》ったぞ!!』

ヘリコプターは、高木刑事《たかぎけいじ》を救出《きゅうしゅつ》するために降下《こうか》し始《はじ》めた。しかし、プロペラの風圧《ふうあつ》が強《つよ》いため、高木刑事《たかぎけいじ》は板《いた》ごと吹《ふ》き飛《と》ばされそうになってしまう。

「い、いかん! これ以上近《いじょうちか》づいたら、ヘリの風《かぜ》で高木《たかぎ》の体《からだ》が…」

目暮警部《めぐれけいぶ》があわてふためいて言《い》うと、佐藤刑事《さとうけいじ》はガラッとヘリコプターの扉《とびら》を開《あ》け、

「拡声器《かくせいき》で通行人《つうこうにん》と付近住人《ふきんじゅうにん》の避難《ひなん》を!!」

と言《い》い残《のこ》して、ヘリコプターから飛《と》び降《お》りた。

「え？　さ、佐藤《さとう》ォ!?」

目暮警部《めぐれけいぶ》が驚《おどろ》いて叫《さけ》ぶ。

佐藤刑事《さとうけいじ》は、屋根《やね》の上《うえ》に積《つ》もった雪《ゆき》の上《うえ》にドッと着地《ちゃくち》すると、すぐにムクッと起《お》き上《あ》がった。

板《いた》の上《うえ》でもうろうとしていた高木刑事《たかぎけいじ》は、(え？) と驚《おどろ》いて顔《かお》を上《あ》げた。

(何《なん》か今《いま》…佐藤《さとう》さんが…空《そら》から…パンツ丸出《まるだ》しで…降《ふ》って来《き》たような…)

佐藤刑事《さとうけいじ》は拳銃《けんじゅう》を構《かま》えると、高木刑事《たかぎけいじ》の方《ほう》に向《む》かって走《はし》りながら、大声《おおごえ》で叫《さけ》んだ。

「頭《あたま》!!　左《ひだり》!!　動《うご》くなァ!!!」

「え？」

わけがわからないまま、言《い》われた通《とお》り高木刑事《たかぎけいじ》は頭《あたま》を左《ひだり》に傾《かたむ》け、そのまま動《うご》きを止《と》めた。

ダン！　ダン！　ダン！

佐藤刑事《さとうけいじ》が、銃《じゅう》を連射《れんしゃ》する。発射《はっしゃ》された銃弾《じゅうだん》は、高木刑事《たかぎけいじ》の首《くび》にくくられていたロープをブチッと撃《う》ち抜《ぬ》いた。佐藤刑事《さとうけいじ》は、勢《いきお》いよく高木刑事《たかぎけいじ》に飛《と》びつくと、ぎゅっと身体《からだ》を抱《だ》きしめ、その勢《いきお》いのまま板《いた》の上《うえ》からバッと飛《と》び降《お》りた。

と同時《どうじ》に、爆弾《ばくだん》のタイマーが０になる。

ドォン!!

爆弾《ばくだん》が爆発《ばくはつ》して、高木刑事《たかぎけいじ》が寝《ね》かされていた板《いた》は、粉々《こなごな》に吹《ふ》き飛《と》んでしまった。

佐藤刑事《さとうけいじ》と高木刑事《たかぎけいじ》は、抱《だ》き合《あ》った姿勢《しせい》のまま、鏡《かがみ》の上《うえ》に落下《らっか》した。

「生《い》きてる？　渉《わたる》♡」

佐藤刑事《さとうけいじ》が、満面《まんめん》の笑《え》みで高木刑事《たかぎけいじ》の顔《かお》をのぞきこむ。

「あ、はい…何《なん》とか…」

息《いき》も絶《た》え絶《だ》えになりながら高木刑事《たかぎけいじ》がうなずくと、佐藤刑事《さとうけいじ》は「よかったー!!」と明《あか》るい声《こえ》をあげた。警視庁《けいしちょう》でほかの刑事《けいじ》たちといる時《とき》の、真面目《まじめ》な姿《すがた》とは違《ちが》って、小《ちい》さな子供《こども》のようなはしゃぎようだ。高木刑事《たかぎけいじ》と二人《ふたり》きりになって、素《す》の姿《すがた》が出《で》てしまったらしい。

ガラガラ……

爆発《ばくはつ》の衝撃《しょうげき》で、工事中《こうじちゅう》だった家《いえ》が崩《くず》れ始《はじ》めた。大《おお》きな板《いた》や鉄製《てっせい》の足場《あしば》などが、次々《つぎつぎ》に落《お》ちてくる。

「――って、早《はや》く逃《に》げないと…」

そう言《い》って、高木刑事《たかぎけいじ》はあわてて身体《からだ》を起《お》こそうとした。


その頃警視庁《ころけいしちょう》では、千葉刑事《ちばけいじ》やほかの刑事《けいじ》たちが、タブレット端末《たんまつ》の前《まえ》でやきもきしていた。先《さき》ほどの爆発《ばくはつ》の衝撃《しょうげき》でカメラが壊《こわ》れたのか、映像《えいぞう》がストップしてしまったのだ。

「た、高木《たかぎ》はどうなった!?」

「え、映像《えいぞう》が途切《とぎ》れて…」

「死《し》ぬなよ!!　高木《たかぎ》ィ!!」

刑事《けいじ》たちが心配《しんぱい》していると、再《ふたた》び映像《えいぞう》が映《うつ》し出《だ》された。

（あ…）

千葉刑事《ちばけいじ》たちはきょとんとして、動《うご》きを止《と》めた。

タブレット端末《たんまつ》に映《うつ》し出《だ》されたのは、キスをする高木刑事《たかぎけいじ》と佐藤刑事《さとうけいじ》の姿《すがた》だったのだ。

二人《ふたり》は鏡《かがみ》の上《うえ》に横《よこ》たわり、佐藤刑事《さとうけいじ》が上《うえ》になって高木刑事《たかぎけいじ》の身体《からだ》を抱《だ》きしめている。佐藤《さとう》刑事《けいじ》にキスをされ、高木刑事《たかぎけいじ》は頬《ほお》を赤《あか》くして身体《からだ》をこわばらせていた。

『さ、佐藤《さとう》さん！　職務中《しょくむちゅう》ですよ？』

『いーじゃない！　どーせ誰《だれ》も見《み》てないんだから♡』

二人《ふたり》のやり取《と》りはカメラを通《とお》して、警視庁《けいしちょう》にいる刑事《けいじ》たちに筒抜《つつぬ》けになっていた。

「無事《ぶじ》みたいっスね！」

そう言《い》って、千葉刑事《ちばけいじ》はうれしそうに刑事《けいじ》たちの方《ほう》を振《ふ》り返《かえ》り、「え？」と固《かた》まった。

刑事《けいじ》たちはみんな、鬼《おに》の形相《ぎょうそう》で高木刑事《たかぎけいじ》の方《ほう》をにらみつけていたのだ。

「たアーかアーぎィ〜」

「死《し》ねばよかったのに…」

刑事《けいじ》たちが歯《は》ぎしりして高木刑事《たかぎけいじ》に嫉妬《しっと》していると、白鳥刑事《しらとりけいじ》が書面《しょめん》を片手《かたて》にやってきた。

「ちなみに今《いま》、道警本部《どうけいほんぶ》から入《はい》った情報《じょうほう》によりますと、被疑者《ひぎしゃ》、笛本《ふえもと》の病気《びょうき》は末期癌《まっきがん》で…拉致《らち》に使《つか》った家《いえ》は架空《かくう》の会社名義《かいしゃめいぎ》で購入《こうにゅう》、玄関先《げんかんさき》を吹《ふ》き抜《ぬ》けにして天窓《てんまど》を付《つ》けたいとリフオーム業者《ぎょうしゃ》に発注《はっちゅう》し、この3日間《かかん》工事《こうじ》を中断《ちゅうだん》するように指示《しじ》していたようです…。——って、誰《だれ》も聞《き》いてませんね…」

刑事《けいじ》たちはみんな、タブレット端末《たんまつ》の映像《えいぞう》に夢中《むちゅう》で、誰《だれ》も白鳥刑事《しらとりけいじ》の報告《ほうこく》を聞《き》いていない。映像《えいぞう》は高木刑事《たかぎけいじ》と佐藤刑事《さとうけいじ》の様子《ようす》を映《うつ》し続《つづ》けていたが、やがて、フッと画面《がめん》が真《ま》っ暗《くら》になってしまった。

「あ、バッテリー切《き》れた…」

千葉刑事《ちばけいじ》が、ほっとした声《こえ》でつぶやいた。

事件《じけん》から一《いっ》か月後《げつご》。

高木刑事《たかぎけいじ》は、佐藤刑事《さとうけいじ》と一緒《いっしょ》に、伊達刑事《だてけいじ》のお墓《はか》を訪《おとず》れていた。

「1か月遅《げつおく》れになっちゃいましたね…伊達《だて》さんの墓参《はかまい》り…」

「まぁ、高木君《たかぎくん》…凍傷《とうしょう》とか色々《いろいろ》ヤバかったもんね…」

「仕方《しかた》ないですよ…。自分《じぶん》があの日《ひ》、交通事故《こうつうじこ》で伊達《だて》さんが亡《な》くなった事《こと》をちゃんと彼女《かのじょ》に伝《つた》えていればこんな事《こと》には…」

表情《ひょうじょう》に後悔《こうかい》をにじませる高木刑事《たかぎけいじ》に、佐藤刑事《さとうけいじ》は「バカね…」とやさしく声《こえ》をかけた。

「知《し》ってたわよ、ナタリーさん…。伊達《だて》さんが亡《な》くなった事《こと》…」

「え？」

「伊達《だて》さんの両親《りょうしん》が覚《おぼ》えていたのよ…。病院《びょういん》に遺体確認《いたいかくにん》に行《い》った時《とき》…部屋《へや》の外《そと》に涙《なみだ》をいっぱいに溜《た》めたハーフの女性《じょせい》が立《た》ってたって…。伊達《だて》さん、あの日《ひ》の夜《よる》、彼女《かのじょ》の親《おや》に挨拶《あいさつ》をしに北海道《ほっかいどう》へ行《い》く予定《よてい》だったそうだから…伊達《だて》さんの両親《りょうしん》も連《つ》れてって、そこで彼女《かのじょ》を紹《しょう》介《かい》したかったみたい…。だから、高木君《たかぎくん》のせいじゃないって…」

「…でも、この指輪《ゆびわ》は彼女《かのじょ》に渡《わた》したかったです…。伊達《だて》さんの最後《さいご》のあの言葉《ことば》は…そういう意味《いみ》だったでしょうから…」

そう言《い》って、高木刑事《たかぎけいじ》は、伊達刑事《だてけいじ》が来間《くるま》に渡《わた》すつもりだった指輪《ゆびわ》を取《と》り出《だ》した。

事故《じこ》に遭《あ》った直後《ちょくご》、伊達刑事《だてけいじ》は手帳《てちょう》を高木刑事《たかぎけいじ》に差《さ》し出《だ》しながら、「こいつはお前《まえ》に任《まか》せたぜ…」と言《い》っていた。あれは、手帳《てちょう》に挟《はさ》まっていた指輪《ゆびわ》を、来間《くるま》に渡《わた》してくれという意味《いみ》だったのだ——と、高木刑事《たかぎけいじ》は強《つよ》く信《しん》じていた。

伊達刑事《だてけいじ》のお墓《はか》の前《まえ》まで来《き》て、高木刑事《たかぎけいじ》は「ん？」と立《た》ち止《ど》まった。見《み》ると、一本《いっぽん》の爪《つま》楊枝《ようじ》が、お墓《はか》の前《まえ》にお供《そな》えされている。

「……………。爪楊枝《つまようじ》…」

「そーいえば、伊達《だて》さんいつもくわえてたわね…。前《まえ》に墓参《はかまい》りに来《き》た誰《だれ》かが、気《き》を利《き》かせてお供《そな》えしたのね…」

「でも誰《だれ》が？」

不思議《ふしぎ》に思《おも》いながらも、二人《ふたり》は持参《じさん》した菊《きく》の花束《はなたば》をお墓《はか》に供《そな》え、線香《せんこう》に火《ひ》をつけると、伊達刑事《だてけいじ》の冥福《めいふく》を祈《いの》って合掌《がっしょう》した。

そんな佐藤刑事《さとうけいじ》と高木刑事《たかぎけいじ》の様子《ようす》を、離《はな》れたところからうかがう人影《ひとかげ》があった。安室透《あむろとおる》だ。黒《くろ》いニット帽《ぼう》を深《ふか》くかぶり、サングラスをかけて顔《かお》を隠《かく》している。伊達刑事《だてけいじ》のお墓《はか》の前《まえ》に供《そな》えられていた爪楊枝《つまようじ》は、安室《あむろ》が置《お》いたのかもしれない。

墓石《ぼせき》の陰《かげ》に身《み》をひそめながら、安室《あむろ》は携帯《けいたい》を取《と》り出《だ》した。画面《がめん》に表示《ひょうじ》されているのは、伊達刑事《だてけいじ》から送《おく》られてきていたメールだ。

お前《まえ》どこで何《なに》やってんだ？
たまには連絡《れんらく》しろよな！
伊達《だて》

（静《しず》かに…瞑《ねむ》れ…友《とも》よ…）
心《こころ》の中《なか》で語《かた》りかけながら、安室《あむろ》は伊達《だて》刑事《けいじ》からのメールを削除《さくじょ》した。

They are maintaining public order.

Shogakukan Junior Bunko

★小学館ジュニア文庫★
名探偵コナン 警察セレクション 命がけの刑事《ポリス》たち

2022年 4 月20日　初版第 1 刷発行

著者／酒井 匙
原作・イラスト／青山剛昌

発行人／吉田憲生
編集人／今村愛子
編集／山口久美子

発行所／株式会社　小学館
〒101-8001　東京都千代田区一ツ橋２－３－１
電話／編集　03-3230-5105
販売　03-5281-3555

印刷・製本／中央精版印刷株式会社

デザイン／石沢将人＋ベイブリッジ・スタジオ

Printed in Japan　ISBN 978-4-09-231414-6